D1166529

La Lumière de Joshua

Du même auteur :

Ton ange est Lumière, Éd. de Mine, 1995.
Je vous donne signe de vie, Éd. Marjolaine Caron, 2002.
Le petit livre de Joshua, Éd. du Roseau, 2004.
Ma vie après ta mort, Éd. Marjolaine Caron, 2005.

Après 15 ans de rencontres individuelles, Marjolaine Caron se consacre désormais davantage aux enseignements et à l'écriture. Puisant dans son riche bagage d'expériences et de manifestations de défunts, elle approfondit dans cette « suite » l'inspiration de son récit symbolique. C'est que le héros, soutenu par ses «DOUZE» Guides de Lumière, doit traverser au cours de son existence un certain nombre de cycles, dont les deux premiers, La Manifestation et L'Envol, couvraient la phase de son initiation, telle que relatée dans *Le petit livre*. ***La lumière de Joshua*** fait entrer le héros dans l'ère de la maturité en lui faisant découvrir le sens de sa mission au cours de ses troisième et quatrième cycles : Le Chemin d'évolution et La Mission de vie.

Pour plus d'informations, on peut visiter le site Internet de l'auteur :
www.marjolainecaron.com
ou lui adresser un courriel à l'adresse suivante : caronm@abacom.com

Marjolaine Caron

La Lumière de Joshua

Catalogage avant publication de Bibliothèque et Archives Canada

Caron, Marjolaine, 1952-

La lumière de Joshua

ISBN 2-923438-11-6

I. Titre.

PS8605.A77L85 2006 C843'.6 C2006-941939-6
PS9605.A77L85 2006

Graphisme de la page couverture : Carl Lemyre

Photographie de l'auteur : Georges Dutil

ISBN 2-923438-11-6

Dépôt légal : Bibliothèque nationale du Québec, 2006
Bibliothèque nationale du Canada, 2006

Distribution au Canada : Diffusion Raffin
29, rue Royal
Le Gardeur (Québec)
J5Z 4Z3, Canada
Courriel : diffusionraffin@qc.aira.com

Distribution en Europe : Distribution du Nouveau Monde
(Librairie du Québec)
30, rue Gay-Lussac,
75005 Paris, France
http ://www.libriszone.com/lib/indexquebec.htm

pour la Suisse : Diffusion TRANSAT SA
Chemin des chalets
CH-1279 Chavannes-de-Bogis, Suisse
Courriel : transat@transatdiffusion.ch

Site Internet : http ://www.feuillette.ca
Courriel : editchfeuillette@yahoo.com

Imprimé au Canada

À Marilou

Remerciements

Merci à mes lecteurs et lectrices ! Vous avez été nombreux à me manifester votre intense désir de lire un jour la continuité de l'histoire du *Petit Livre de Joshua*. Les éloges et la reconnaissance que vous m'avez témoignés m'ont donné cette confiance si nécessaire à l'écriture de ***La Lumière de Joshua***. Grâce à votre amour et votre insistance, cette lumière s'est faite en moi. Je vous remercie pour avoir stimulé ma créativité et avoir ainsi permis à l'âme de ce livre de naître. Vous avez été dans mon cœur tout au long de la rédaction de ce récit.

La Lumière de Joshua a commencé à poindre dans mon esprit par une scène se déroulant sur le bord de la mer en Gaspésie. J'ai suivi cette lumière qui m'a mené droit à Port-Daniel, sur une pointe avançant sur l'océan. C'est dans ce décor paradisiaque, où j'ai hébergé à Chaleur-Chalets pendant quatre jours, que l'inspiration m'a inondée de ses premiers jets. Je veux remercier sincèrement Alice et Rod Ayes, les propriétaires de ce magnifique havre de Paix, qui m'ont accueillie non seulement dans leur domaine, mais dans leur cœur. Merci à vous deux pour votre chalet et votre chaleur humaine !

Merci à mes enfants Alexandre, Charles-André et à ma belle-fille Patricia pour leur amour inconditionnel. Merci à Luc, mon conjoint et premier lecteur, pour sa patience et sa foi en moi. Mon amie Sylvie Petitpas refait surface dans les remerciements de mes quatre derniers livres... c'est qu'elle est toujours là en soutien et en amitié pour moi. Je la remercie du fond du cœur. Merci, Hélène Drainville, une amie merveilleuse qui m'a accompagnée tout au long de la gestation, en tant que première lectrice, et qui m'a encouragée sans relâche.

Merci à mon éditeur et grand collaborateur Christian Feuillette qui, au-delà d'éditer cet ouvrage, le traite comme un livre sacré en y mettant toute sa foi et son énergie.

Et je termine en remerciant Dieu pour ma petite-fille Marilou, qui est descendue du Jardin des Enfants de Lumière le 7 avril 2006. C'est pour toi, mon ange, que j'ai écrit ce livre. Pour toi et pour tous les enfants de la terre, afin que le plus grand nombre d'adultes possible se conscientisent et guérissent de leurs blessures intergénérationnelles, vous offrant ainsi un avenir meilleur dans la Paix, l'Amour et la Joie !

Merci, la vie !

MARJOLAINE CARON

TROISIÈME CYCLE

LE CHEMIN D'ÉVOLUTION

1

L'Hymne à l'Amour

Le clocher de la petite église du village de l'Anse-aux-Gascons carillonnait joyeusement dans un ciel bleu du mois de mai. Terre et mer natales de Philippe, la Gaspésie accueillait le plus harmonieux des mariages. De son grand-père paternel, il avait hérité de quelques arpents de terre en bordure de la mer, sur lesquels se hérissait fièrement un bijou du patrimoine familial, une maison ancestrale rouge aux volets blancs, une maison qui vous ouvrait les bras, qui invitait à la chaleur et au repos.

Sur le perron de la chapelle étaient réunis tous ceux que Mathilde et Philippe affectionnaient. De partout, parents et amis étaient venus assister à cette union. Un mariage intime entouré des êtres les plus chers à leurs cœurs.

Le bonheur de Mathilde était palpable et son cœur avait failli éclater lorsque Joshua entonna *L'Hymne à l'Amour*. Les rayons du soleil transperçaient les vitraux de la chapelle comme si tous les Anges étaient venus bénir leur union !

Philippe, vêtu d'une tunique et d'un pantalon ivoire, irradiait une grande sérénité et un air de pure noblesse. Mathilde resplendissait d'une aura multicolore, enveloppée d'un ruban doré. Couverte de dentelles dans les tons de blanc cassé à ivoire, elle se fondait harmonieusement à la tenue de Philippe. Ses cheveux lissés et ornés de perles à l'avant se rassemblaient noués sur sa nuque par une orchidée blanche. Un magnifique décolleté en « v » découvrait un dos bien droit jusqu'à la taille. En guise de bouquet, un simple lys blanc se dressait de ses mains fines.

Une déesse! pensait Joshua. Il se sentait si heureux de voir enfin Mathilde s'abandonner à sa vie de femme, dans une relation saine fondée sur l'amour inconditionnel. Enfin voyait-il cette grande dame commencer à vivre pour elle, et par elle.

Ce détachement n'avait rien de déchirant, tellement il avait suivi le rythme et le cours des événements. Le Grand Plan s'accomplissait, Joshua en était convaincu. Sa rencontre avec les «DOUZE», et la reconnexion à son âme, avait permis que le « Petit Roi » intègre la liberté de prendre son envol et de vivre sa propre vie. Devenir vraiment « Celui » qu'il était dans sa vraie nature.

La cérémonie du mariage n'était nullement conventionnelle. Les mariés avaient tenu à préparer eux-mêmes le rituel de leur engagement. Grâce à l'ouverture d'esprit et l'amabilité du Père Antoine, qui avait vu grandir Philippe, ils purent se marier et se bénir mutuellement en échangeant leurs vœux personnels, dans leurs mots et leurs cœurs. Philippe prit alors la main de sa future épouse et lui dit:

« Mathilde, dès le premier jour où je t'ai vue au chevet de ton ami Louis, mon cœur t'a reconnue ! »

Michelle, la veuve de Louis, assise entre ses enfants Julie et Sébastien, ferma les yeux pour retenir ses larmes.

« Je ne savais pas quand, mais une petite voix me disait que tu repasserais sur ma route, que nos chemins se croiseraient à nouveau. Je n'ai rien fait alors pour t'inviter à prendre place dans ma vie. Je sentais que ce n'était pas le bon moment... je t'ai attendue, tu es venue ! Dix ans plus tard, un heureux hasard fit en sorte que nous prenions place dans le même ascenseur, en même temps. Je remercie Dieu pour cet heureux jour. Merci, Mathilde, d'avoir accepté le rendez-vos de nos âmes ! »

Mathilde laissait couler de douces larmes sur son visage illuminé. Elle écoutait Philippe sa main droite dans la sienne et l'autre sur son cœur pour qu'il capte la vibration de son amour.

« La promesse que je te fais aujourd'hui, continua Philippe, est de toujours prendre soin de moi – pour toi –, et de renouveler mon engagement avec toi chaque jour. Je prendrai aussi grand soin de toi... je te tiendrai par la main. Dans le respect et la complicité, je t'ai aimée, je t'aime et je t'aimerai sans condition, dans la liberté et le partage. Je ne te demande pas de me rendre heureux, Mathilde... je l'étais lorsque tu es arrivée dans ma vie. Je te demande simplement de partager ton bonheur avec moi, de marcher à mes côtés. Puissions-nous réaliser nos rêves et notre mission ensemble. »

Michelle n'arrivait plus à retenir ses larmes... et elle n'était pas la seule.

« Je t'aime, Mathilde... Veux-tu t'unir à moi pour que nous fassions ce bout de chemin ensemble ? »

Le sourire éclatant et les yeux pétillants de Mathilde répondaient clairement à la demande de Philippe :

« Oui, mon amour, je souhaite évoluer et vivre à tes côtés. Pour tout ce que tu es, je remercie la vie et je remercie Dieu de t'avoir mis sur mon chemin. Je ne savais pas qu'il existait en ce monde un être aussi parfait pour moi. Même tes défauts me font grandir ! »

Un éclat de rire unanime retentit joyeusement dans la chapelle.

« Tu m'élèves, Philippe... avec toi je me sens plus belle, plus grande, et pleine de confiance. Ton humour, ta compassion, ton amour pour tes patients et pour les humains me remplissent d'espoir et de bonheur. Avec toi, je peux croire à un monde plus heureux. Avec toi, je suis une personne meilleure et je me reconnais davantage. Merci de m'avoir appris à m'aimer. L'espace que tu combles dans mon cœur ne pourra jamais être occupé par quelqu'un d'autre, Philippe. Je te promets que, quoi qu'il advienne, je survivrai et je renaîtrai ! Je ne veux pas penser qu'un jour peut-être tu partiras, car aujourd'hui tu es là et je suis là, et je veux goûter entièrement ce moment présent. Mais je tiens quand même à te dire, moi aussi, qu'au-delà de tous les sentiments que nous pouvons partager ensemble, le plus important est que tu saches que "tu es libre". C'est mon vœu d'amour pour toi – pour nous deux! Que Dieu nous bénisse ! »

Un moment de silence baignait la chapelle éclairée d'une lumière radieuse. Solennellement, le Père Antoine bénit les mariés pendant qu'ils échangeaient leurs anneaux.

Ils s'embrassèrent tendrement sous une pluie d'applaudissements, de rires et de larmes. Les sons magiques du violon et du piano élevaient leurs âmes, prêtes à accueillir *L'Hymne à l'Amour* que Joshua leur offrait de toute son âme. Le grand ténor réussissait humblement à ajuster sa voix à l'enceinte réduite de la petite église. Les invités se sentaient immensément privilégiés d'assister à cette cérémonie d'union et d'entendre Joshua chanter cet hymne majestueux.

C'était maintenant au tour du Père Antoine de ne plus pouvoir retenir le flot de ses émotions. *Que d'amour!...* se dit-il, un doux sourire paternel sur les lèvres.

Joshua fut le seul témoin du clin d'œil et de la bénédiction de Louis. Sa voix avait failli se briser lorsqu'il entama la dernière mélopée :

« Dieu réunit ceux qui s'ai... ai... ment ! »

À cet instant précis, un majestueux monarque se posa sur la main droite de Joshua qui tenait la rampe du jubé. Le papillon y demeura quelques secondes et virevolta ensuite au-dessus de Mathilde et Philippe, puis de Michelle, alors que Julie et Sébastien se dirigeaient vers les portes déjà ouvertes pour la sortie des mariés. Joshua posa ses deux mains sur son cœur, ferma les yeux et remercia Louis. La présence indéniable de l'esprit de Louis liait en quelque sorte toutes les âmes réunies à ce mariage, dans la joie, la sérénité et l'amour le plus pur.

Le chapiteau monté devant la mer, sur la terrasse de Philippe, abritait l'orchestre des cinq plus grands musiciens de Joshua ainsi que les tables recouvertes de corbeilles de fruits, de fleurs, de coupes de cristal et de champagne. Une noce remplie de joie, de musique, d'amitiés et d'amour ! Une journée inoubliable pour Mathilde et Philippe.

Les retrouvailles apportaient une touche magique à cette grande fête. Julie, Sébastien et Joshua, qui ne s'étaient plus revus depuis dix ans, s'enlaçaient, riaient, se regardaient de la tête aux pieds. L'allégresse était à son comble ! La vie prouvait l'éternelle continuité de l'amour.

Au moment où ils allaient commencer à échanger sur le parcours de leurs vies respectives, une petite fille, haute comme trois pommes, s'avança vers Joshua, ignorant toute autre présence autour d'elle. Devant lui, l'enfant leva les bras en requérant silencieusement de se faire prendre. Joshua se pencha, la souleva et la regarda droit dans les yeux.

Une petite princesse aux yeux couleur noisette, aux cheveux dorés comme le miel. Ses lèvres semblaient dessinées à partir d'un conte de fée. Son âme perçait à travers un regard insistant ne quittant pas celui de Joshua un seul instant. *Mais qui était donc cette petite bonne femme venue le bouleverser de la sorte ?* se demanda-t-il.

Pendant que Joshua cherchait des yeux un adulte qui accompagnait cette charmante petite fille, l'enfant murmura secrètement à son oreille :

« Est-ce que tu le vois... *toi*? »

Surpris, Joshua lui demanda :

« Qui... Qui est-ce que je dois voir, ma petite ? »

– Mon grand-papa... lui répondit-elle tout naturellement ; curieuse, elle enchaîna... comment tu t'appelles ? »

Ébranlé, Joshua se nomma distraitement, lorsqu'une voix féminine retentit derrière lui :

« Tania, je te cherchais partout... que fais-tu ? »

Lorsqu'il se retourna, Joshua se trouva face à face avec Michelle !

« Grand-maman, s'écria la petite, c'est *Jâshiwa* ! Je lui demande s'il le voit... *lui* ! » et elle se retourna, replongeant brusquement son regard dans celui de Joshua, comme pour lui dire : « et puis ? »

Michelle était plus belle encore que dans son souvenir de petit garçon. Son charme, sa dignité et sa beauté lui rappelaient son enfance et toutes ces belles années avec cette famille si chère à son cœur. Sa famille d'âmes.

« Joshua, je te présente Tania, ma petite-fille.

– C'est ma fille... confirma fièrement Julie, qui s'était gardée d'intervenir jusque-là. Qu'est-ce qu'elle te raconte là, hein ? Mademoiselle pleine d'imagination ! Elle nous en sort des bonnes, Joshua, je t'avertis, tu n'as pas fini avec elle ! »

À travers les éclats de rires, Joshua se sentait quelque peu confus... *et si ce n'était pas son imagination à la petite ?*

Tania était maintenant dans les bras de sa grand-maman qui avait pris en quelque sorte le contrôle de la situation. Sa tête appuyée sur son épaule, elle ne cessait de fixer Joshua de son regard inquisiteur... elle attendait !

Michelle déposa sa petite-fille dans les bras de sa mère, invitant d'un signe de tête Joshua à s'asseoir avec elle autour d'une petite table près de la mer.

« Ah ! cher Joshua, Tania nous parle de Louis comme si elle l'avait connu ! Elle nous dit qu'elle le voit, qu'il vient jouer avec elle, la border le soir et qu'il lui fait toujours un clin d'œil avant de partir. Je ne sais plus trop quoi penser, ni quoi lui dire, tu vois ? Je me demande si c'est bon d'encourager ces communications. Julie croit que c'est le fruit de son imagination. Je crois que ça lui fait peur tout ça, pauvre Julie, et surtout que ça remue une grande blessure en elle. »

Joshua demeura songeur. Il comprenait l'état d'âme de la petite Tania et le dilemme de Michelle. Il démontra sa compassion et sa compréhension, mais n'osa pas s'engager dans quelques directions ou conseils que ce soit... il écouta tout simplement. Il sentait le besoin de laisser Michelle devant sa propre réflexion.

« Comme le temps file, Michelle... il y a si longtemps ! Qu'es-tu devenue ? comment as-tu vécu toutes ces années depuis le départ de Louis ?

– Eh bien, j'ai survécu à travers le travail et les enfants. Tania, tu vois, c'est ma nouvelle histoire d'amour ! Sa présence, sa splendeur, son affection... ça me comble. »

Les sourcils relevés sous des boucles abondantes retombant sur son front, Joshua n'avait nul besoin de parler.

« Je sais, je sais... tu vas me dire que je transpose et que je vis la vie des autres et non la mienne !

Sans jugement, Joshua répondit par un sourire à cette remarque de Michelle.

« Tu le sais mieux que quiconque, Michelle... Moi, ce que je vois c'est une femme resplendissante, que la pédiatre et la mère ont laissée pour compte dans le placard ! Dommage...

– Ah ! Joshua... je croirais entendre Louis ! Je me sens si vulnérable aujourd'hui... Je vais te confier un petit secret que seuls mes enfants et moi connaissons. Aujourd'hui, c'est notre anniversaire de mariage. Mathilde ne sait pas qu'elle a choisi cette même date pour célébrer son union avec Philippe. Lorsque j'ai reçu l'invitation et que j'ai vu la date, "le 14 mai", mon cœur a fait trois tours. Quelle synchronicité ! Je sais que Louis est avec nous aujourd'hui, Joshua... je ne le crois pas, je le sens ! Il est là ! »

Un moment de silence s'imposait... la compassion dans les yeux de Joshua confirmait encore davantage à Michelle la présence et l'amour de Louis à cet événement.

« Alors, laisse-moi te confier mon petit secret à mon tour. »... et Joshua partagea avec Michelle la visite du monarque dans la chapelle.

Lorsque Michelle entendit ce signe sans équivoque de Louis, elle pleura tendrement... des larmes d'émerveillement. L'émotion passée, elle confia à Joshua que déjà 25 ans s'étaient écoulés depuis le jour où elle et Louis prononcèrent leurs vœux sous ce même air, *L'Hymne à l'Amour*.

Joshua s'approcha doucement et enveloppa Michelle avec tendresse de ses grands bras réconfortants. Elle murmura :

« Merci Louis ! Que la vie est belle ! Mais tu me manques tellement encore. »

Joshua savait se taire dans ces moments sacrés. Il la serra un peu plus fort et relâcha son étreinte pour lui lancer son plus beau clin d'œil. Ils éclatèrent de rire, hochant la tête, simplement pour se confirmer mutuellement que la Vie et l'Amour ne meurent pas.

Ce soir-là, Joshua s'endormit sur la question de la petite-fille de Louis Faucher: *« Est-ce que tu le vois...* toi*?* » Le lendemain matin, les invités les plus intimes de Mathilde et Philippe se retrouvaient autour d'une table champêtre pour le petit déjeuner. Joshua contemplait ce bouquet d'amis, tous ces gens que Mathilde avait su rassembler autour d'elle. D'un regard un peu timide, il tentait de croiser celui de Michelle comme pour vérifier son état d'âme en ce lendemain de grandes émotions.

Mais c'était plutôt les yeux de Tania qui le fixaient avec insistance. Pendant que tout le monde s'animait, échangeait, riait... l'enfant se glissa des cuisses de Julie, sa maman, et se dirigea droit vers Joshua. La petite s'approcha de lui sans un geste, sans un mot.

Joshua la prit sur ses genoux, caressant ses cheveux en lui souriant, il lui dit:

« Tu veux venir marcher avec moi ? »

Pour toute réponse, la petite lui tendit la main. Joshua se tourna vers Julie et Christian pour obtenir l'approbation des parents. Leur joie traduisait leur assentiment !

Le *petit roi* et sa princesse partirent candidement arpenter le bord de mer.

« Tania, dis-moi... pourquoi me poses-tu cette question ? si je vois ton grand-papa !

– C'est à cause qu'y'a juste moi qui le vois ! Mais quand je t'ai vu dans l'église, eh bien, mon grand-papa il m'a dit: "Lui, il sait que je suis là." Est-ce que c'est vrai, est-ce que tu le vois comme moi, Jâshiwa »

La vibration que Tania donnait au prénom de Joshua le faisait frissonner. Une mélodie qui lui procurait un pur sentiment d'affection et de reconnaissance. Poursuivant dans cet air de tendresse, Joshua expliqua à la petite fée :

« Tu sais, mon ange, lorsque j'avais 8 ans j'ai perdu ma maman. Et après ça, j'ai reçu des messages d'elle. Je sais que ceux qui nous quittent ne partent pas vraiment. C'est vrai, je sais que ton grand-papa Louis est près de toi et je te crois, vois-tu ? Mais comment peux-tu le reconnaître si tu ne l'as pas connu ? Tu... »

Tania l'interrompit :

« Mais oui, je l'ai connu mon grand-papa... avant que je sois dans le ventre de ma mère. C'était quand j'étais dans un grand jardin... *Le Jardin des Enfants de Lumière.* »

Malgré sa foi inébranlable et ses connaissances spirituelles, Joshua resta à la fois émerveillé et sidéré devant ce langage si pur. Il cherchait maintenant à faire parler davantage la petite Tania, mais voilà que la communication venait de se rompre. La petite se mit à parler de choses et d'autres, des histoires tout à fait « normales » d'un enfant de 5 ans. Joshua tentait de lui poser d'autres questions sur le sujet, mais en vain... c'était terminé ! La porte de la conscience s'était entrouverte pour un moment et ce moment était à saisir ou non. Joshua l'avait saisi ! Ils revinrent tranquillement à la table en riant comme les plus grands amis de la terre. Joshua ressentait vivement qu'il connaissait cette âme merveilleuse depuis des siècles.

Le lendemain, Joshua s'étirait devant un majestueux lever de soleil. Les mariés s'étaient envolés la veille pour l'Europe, et les invités, tous rentrés chez eux. Solitaire au bout du quai, un café à la main, les pieds dans l'eau, le petit roi récapitulait. Dans son esprit se déroulait le film de sa vie. La rencontre de Tania avait réveillé en lui mille questions. Indépendant de fortune, Joshua pouvait se permettre un temps d'arrêt, une plage de méditation et de réflexion.

Les enfants savent... les enfants se souviennent. Et les enfants ont besoin d'aide !

Cette prise de conscience le hantait ! Il se disait que chanter était une façon de divertir un public et de s'exprimer soi-même. Mais Dieu que cela représentait peu de choses comparativement aux besoins grandissants des enfants de la terre ! Ceux qui allaient mourir, ceux qui arrivaient. Ceux qui étaient seuls et abandonnés. Plus il méditait sur cette question, plus Joshua ressentait un besoin d'agir pour cette génération de lumière qui lui succédait.

Il passa trois semaines dans ce havre de paix et de solitude. Son esprit grand ouvert sur une nouvelle voie. Joshua acceptait, sans savoir ce qui l'attendait, de créer cette ouverture au changement, malgré la peur des conséquences de cette expansion de la conscience.

2

La peur du bonheur

Durant ce séjour en Gaspésie et à travers cette solitude choisie, Joshua se permit quelques escapades. Question de vérifier son humanité et sa capacité à entrer en relation avec les autres. Dans cette région éloignée du Québec, l'artiste jouissait d'une certaine liberté, puisqu'il n'était pas aussi connu là-bas qu'en Europe ou aux États-Unis. Cet espace « incognito » lui plaisait particulièrement. Comme il adorait, par exemple, se faire demander : « Salut, mon nom est François, et toi ? » Le seul fait de pouvoir se présenter et de parler en son nom plutôt qu'au nom de l'artiste le réjouissait et lui donnait des ailes.

Ce soir-là, assis sur une charmante terrasse au-dessus de la mer, Joshua se mêla à la foule, le cœur en fête. Un orchestre de jazz animait ce petit groupe de moins de 40 personnes, bien éveillées, buvant, conversant, riant... Les jolies serveuses se promenaient de table en table, remplissant les verres vides et délivrant de copieuses assiettes de homards. Joshua se sentait libre et parfaitement heureux.

Il était venu s'asseoir à cette terrasse, seul, sans attente, simplement pour baigner dans l'animation et la joie des gens de son âge. En moins de cinq minutes, un groupe d'amis à la table d'à-côté l'avaient invité à les rejoindre. Joshua reconnut ces gens sympathiques que Philippe lui avait décrits, *« tu verras, tu auras l'impression de les connaître déjà. »* Sans hésiter, il avait tiré sa chaise autour de la grande tablée d'amitié gaspésienne. Quatre filles et trois garçons accueillirent Joshua en portant un toast jovial à leur invité.

La musique entraînante emportait le cœur et les membres de Joshua. Autant il avait chanté dans sa vie, autant il avait peu dansé. Ce soir-là, il avait le cœur à la fête et se déchaîna sur le plancher de danse, entouré des plus belles filles de l'endroit. La beauté et le charisme de Joshua attiraient tout le monde – les filles comme les garçons. Son sourire, sa simplicité et son amour de la fête plaisaient grandement aux jeunes Gaspésiens.

C'est sur l'air de *Smile* que Joshua dansa un slow collé contre le corps d'Émilie Faubert. Ses yeux en amande et d'un vert perçant souriaient à Joshua. La magnifique chevelure noire du jeune homme retombait sur le visage de la belle Gaspésienne, tandis que ses longs doigts caressaient son cou et son dos décolleté. Le bruit des vagues sur la dune s'harmonisait parfaitement à la danse de leurs corps, créant un instant d'euphorie et de magie.

Joshua se sentait vivant, pour une fois qu'il ne pensait plus à rien... pour une fois, il ne se sentait plus du tout responsable du bonheur des autres. Cette soirée était pour lui, juste pour lui.

Il était 3h du matin lorsque la fête commença à s'éteindre. Les employés s'occupaient à fermer les parasols et à retourner les chaises contre les tables. Seuls Émilie et Joshua restaient assis en tête-à-tête à siroter leur cognac.

« Je crois qu'ils sont en train de nous faire signe qu'il est assez tard, Émilie... qu'en penses-tu ? »

Elle éclata d'un rire enfantin.

« Je crois même qu'ils nous montrent poliment la sortie. Eh bien, trinquons une dernière fois, alors ! »

Ils cognèrent leurs verres pour avaler d'un trait la dernière gorgée de leur digestif.

« Marchons un peu... lui proposa Joshua. L'air nous fera du bien. Tu as une voiture à ramener ?

– J'ai une voiture, oui... mais pas question de la ramener. Je ne suis pas en état de conduire, vois-tu, et j'habite pas très loin. Un peu d'air favorisera la désintox...

– Je pourrais t'offrir de te reconduire, mais je ne suis pas non plus en état de conduire et, pire encore, je suis venu à pied.

– Où loges-tu, Joshua ?

– Sur la pointe... je suis en vacances à la maison de Philippe Simon.

– Ah, tu connais le Dr Simon ? Quelle chance tu as ! C'est un être adorable que tout le monde aime ici.

– Pas autant que ma mère ! Il vient de l'épouser il y a dix jours.

– Mais vraiment ? Ah c'est *cool* ! Le Dr Philippe est ton beau-père ?

– Eh oui... mon beau-père ! »

Longeant la mer, Émilie et Joshua marchaient vers la maison de Philippe. Ils échangeaient sur différents points de vue, mais Joshua évitait de parler de sa carrière, souhaitant garder cette merveilleuse sensation d'être comme tout le monde... et mieux encore, un inconnu.

Tout à coup, Émilie s'écria :

« Oh là, je m'éloigne vraiment de chez moi.

– Mais c'est bien, ça veut dire que tu t'approches de chez moi ! »

Il l'enlaça doucement en rabattant ses longs cheveux roux sur ses épaules :

« Reste cette nuit avec moi, Émilie. Ta présence m'est si douce... on pourrait dormir à la belle étoile ce soir, tu sais. Ce serait *trippant* ! Allez, tu dis oui ! »

Timidement, Émilie baissa les paupières et acquiesça. Joshua lui prit tendrement la main et ils marchèrent ainsi sans mot dire. Sur la plage, ils se glissèrent dans un grand sac de couchage bien au chaud. Ainsi enlacés doucement, ils s'embrassèrent sans fin. Silencieusement, d'un commun accord ils s'endormirent « en cuiller », sur un nuage.

Ni l'un ni l'autre n'avait regretté le lendemain matin de ne pas avoir été plus loin ce soir-là. Ils avaient tous les deux opté pour la tendresse. Joshua s'était réveillé le premier, contemplant le doux visage d'Émilie. Dans la clarté du lever du soleil, il pouvait mieux distinguer ses traits finement découpés. Ses taches de rousseurs, son petit nez retroussé, sa chevelure rousse lui rappelaient Laurie. Soudainement, Joshua se sentit pris de panique. Et si l'amour venait lui tendre un piège ? Lui qui s'était toujours bien assuré de ne plus le laisser entrer. Et si l'alcool avait fait tomber ses défenses et qu'il ne s'était pas rendu compte qu'il tombait dans ce piège ? Il se leva doucement pour ne pas la réveiller. Sous la douche, Joshua tentait de retrouver ses esprits.

C'est une erreur... je dois trouver un moyen de lui expliquer qu'elle doit partir, qu'on ne se reverra plus. De toutes ses forces, il tentait d'éloigner le démon de l'amour, car à ses yeux rien de bon ne pouvait s'ensuivre.

Une serviette enroulée autour de sa taille svelte, Joshua préparait le café. La porte du jardin s'ouvrit doucement et Émilie lui apparut dans les rayons du soleil levant. La lumière dans ses cheveux emmêlés créait une auréole dorée autour de sa tête. Son minois matinal était encore plus charmant que celui de la veille ! Joshua respira silencieusement pour ne pas qu'Émilie se rende compte de son malaise. Il devait cesser de la regarder, sinon le mauvais génie de l'amour allait s'emparer de lui.

« Hé ! salut... lui dit-elle, souriante. Bien dormi ?

– Comme un Roi dans son Château de Sable !... répondit-il théâtralement.

– Eh bien, moi de même... comme une Reine dans les bras de son Roi ! essaya-t-elle. »

Joshua s'empressa de changer le ton de la conversation.

« Un bon café, Émilie ? fit-il, comme si elle avait été une amie de longue date.

– Un bon café ! absolument... »

Elle s'approcha doucement pour l'enlacer par-derrière, lorsque Joshua eut un mouvement sec pour se déplacer vers l'évier...

« Oh, excuse-moi... j'ai besoin de remplir la cafetière d'eau. »

Maladroitement, il tentait de fuir tout contact. Émilie se rendit compte de sa froideur, qu'elle traduisit rapidement en une « peur ». *Il est blessé...* se dit-elle. *Joshua est comme un petit animal blessé. Il ne faut pas le brusquer, il a besoin d'être apprivoisé...* Sans insister, elle adopta une attitude amicale, avala une dernière gorgée de café, se leva d'un bond joyeux, lui fit la bise et lui dit :

« Merci... quelle belle soirée et quelle belle nuit sous les étoiles ! Je file...

– Eh bien, merci à toi... ce fut une super soirée ! Tu es très charmante, Émilie... je suis un peu mal à l'aise ce mat... »

Posant délicatement son index sur les lèvres de Joshua, elle murmura :

« C'est correct, Joshua... c'est O.K. ! T'en fais pas... je comprends.

– Tu veux que je t'appelle un taxi ?

– Non, il fait tellement beau... je vais marcher en suivant nos traces de la nuit dernière. Comme le petit poucet... je trouverai mon chemin ! »

Elle riait sincèrement... Joshua la trouva merveilleusement ravissante. Il laissa tout de même le bonheur s'en aller et resta seul avec sa peur.

3

La rencontre

Malgré la forte attirance qu'il avait ressentie pour Émilie, Joshua n'avait pas tenté de la retenir. Elle qui sentait le bonheur, elle qui lui rappelait Laurie la bohémienne, lui présentant son âme si candidement... à cette fille splendide, il avait pourtant dit: *Non merci, j'ai trop peur de te perdre toi aussi.*

Le miroir qu'Émilie lui présentait le terrorisait. De tous ces traits si simples et remplis d'insouciance, Joshua se sentait jaloux. Un sentiment de dédain et de honte monta soudainement en lui. Il se dit que son passé l'avait lourdement hypothéqué et que jamais il n'arriverait, comme tous les jeunes gens de son âge, à connaître une vie et un bonheur simple.

L'évocation du portrait de famille, que composaient Michelle, Sébastien, Julie, Christian et la petite Tania, remua une immense blessure dans le cœur du petit roi. Maintenant que tous avaient réintégré leur « foyer », et que Mathilde et Philippe roulaient sur le chemin du bonheur, Joshua ressentit vivement l'affreux sentiment de l'*inaptitude au bonheur.*

Depuis l'initiation vécue dans sa rencontre avec les «DOUZE» sur la montagne, Joshua ressentait le besoin d'une pause. Comme si toute démarche personnelle et spirituelle devenait lourde et compliquée. Une fatigue psychologique exigeait un repos, afin d'intégrer ces couches de guérison. Les thérapies, les lectures, les méditations et les canalisations avaient fait partie du quotidien de Joshua pendant plusieurs années. La composante humaine demandait maintenant à être reconnue et expérimentée, et Joshua ne connaissait pas ou plutôt ne reconnaissait pas cette part de lui-même. Le temps était venu d'entrer dans ce corps et de *vivre* l'expérience humaine.

L'héritage génétique comprenait des cadeaux ainsi que des blessures à guérir. Joshua les contactait maintenant et il allait s'en occuper. Pour rencontrer cette partie humaine en lui, il aurait besoin du regard de Dieu sur son âme.

En ce dimanche doucement ensoleillé, sur le bord de la plage déserte, le petit roi se plaça en état d'ouverture, sans rien attendre, sans chercher à comprendre... Il demanda la Lumière – il reçut une grande bénédiction.

Laurie ne s'était plus manifestée à son fils par l'écriture depuis son initiation sur la montagne. De son côté, il ressentait cette communion à un niveau plus subtil. Un grand pas vers le détachement fut alors franchi, et Joshua pouvait maintenant vivre sa vie sans maternage spirituel. La présence de Laurie se trouvait dans son cœur et il savait que, dorénavant, il pouvait poursuivre sa route sans constamment se rallier à son énergie. Ce jour-là, la communion se fit directement à la Source... soit entre Dieu et son âme.

Il posa sa plume, qui s'anima !

Repose ton mental... élève ta conscience !

Je suis venu te parler de la « honte », Joshua.

De quoi as-tu honte ? Toi qui es ma créature parfaite ! Pourquoi t'en demandes-tu autant ? Explique-moi, Joshua, je veux comprendre !

Chers humains, vous dites avoir de la difficulté à percer le mystère de Dieu et à comprendre mon Plan... si vous saviez à quel point j'ai peine à suivre vos comportements et votre force d'autodestruction ! De quoi as-tu honte, Joshua ? Je veux savoir...

Joshua ne répondait pas. Sidéré devant cette conversation aussi naturelle que simple avec Dieu, il restait bouche bée. Lui qui croyait que Dieu ne s'occupait pas des affaires des hommes.

Houhou... il y a quelqu'un ? Vous m'entendez ? Et dire que, vous les humains, passez votre temps à vous plaindre que je ne vous parle pas, que je suis loin de vous et que je ne réponds pas à vos prières ! Je m'évertue jour et nuit à tenter de vous joindre... mais hélas, sans réponse. Vous demeurez muet. Tu vas me répondre, Joshua ? C'est tout de même toi qui m'as appelé, non ? Rien... bon, alors je reste en ligne, j'ai tout mon temps, tu vois... j'ai toute l'éternité ! En passant, tu as raison de croire que je ne m'occupe pas des affaires des hommes. Vous avez tous un libre arbitre et vous êtes Maître de votre vie ! Je suis là pour vous éclairer, pas pour vous diriger.

Éberlué, Joshua poussa sa feuille et laissa tomber sa plume. Se frottant le visage comme pour sortir d'un rêve, il se demanda une fois de plus s'il n'était pas en train de devenir fou. Pourtant, cette énergie si pure à travers un langage si humain et si simple l'attirait grandement. Il se rappelait la rencontre avec les «DOUZE»... douze personnages, douze énergies si lumineuses et si enveloppantes, qui lui avaient apporté tant de paix et de soutien. Ce contact lui rappela aussi qu'il avait ignoré depuis fort longtemps la présence de ses guides intérieurs.

Cet espace de reconnexion qu'il s'offrait allait lui ouvrir des voies inespérées sur le mariage entre sa vie humaine et sa vie spirituelle. Au bout de cette réflexion, il osa poser à nouveau la plume...

«Êtes-vous toujours là ?

– Ah ! enfin... te voilà !

– Merci de m'entendre et surtout de me répondre. Je ne sais comment dire... c'est difficile à croire ! Un message de Dieu ou, mieux encore, un entretien avec Vous ! Je suis touché, vraiment très touché. »

Et Dieu se mit à rire !

« Quelle partie de toi est la plus surprise, Joshua ? L'ego ou l'âme ?

– Je ne sais pas... sûrement l'humain ou l'ego, comme vous dites !

– Qui a inventé cette histoire à mon sujet ? Tu sais, l'histoire d'un Dieu à l'extérieur de la vie humaine, un être inatteignable, dont vous seriez "indigne" ? »

Joshua réfléchissait. Aucune idée... De tous les temps, l'histoire s'était perpétuée en ce sens ! D'où les mythes et les croyances d'un Dieu sévère et vengeur, d'un Dieu qui attendait de Ses sujets la perfection et le sacrifice. Ce contact si humain avec Dieu rassura vite le jeune homme et lui donna confiance. Il poursuivit :

« Vous vouliez me parler de la honte ?

– De ta *honte, oui...*

– Eh bien, c'est difficile à expliquer. J'ai honte de ne pas être capable de m'engager et d'avoir peur de vivre ! Je me sens faible et "sans colonne" si je peux m'exprimer ainsi. J'ai le sentiment de ne pas avoir de mérite pour ce que je fais, puisque ces talents m'ont été donnés naturellement à ma naissance. J'ai hérité de la voix de ma mère et du don de capter la lumière de l'invisible... eh bien, ça, c'est un don de Vous, je crois ! finit-il timidement...

– Tu es en train de me dire que tu es un lâche, Joshua ; est-ce bien ce que tu tentes de m'annoncer ?

– Le mot est un peu fort... mais quand même, c'est juste. Je n'ai pas de courage, voilà... c'est ce qui me fait honte !

– Et si on regardait ensemble le film de ta vie, peut-être pourrions-nous retracer quelques événements qui t'offriraient une nouvelle perception de toi-même. »

Joshua ferma les yeux et Dieu déroula le film ! Il s'attendit à ce que la première séquence évoque la mort de Laurie, et le petit garçon agenouillé auprès de sa mère en train de mourir au bout de son sang. Mais non ! La conscience dénicha une scène d'un autre temps, d'un plan beaucoup plus lointain. C'était alors que Joshua vivait dans le Jardin des Enfants de Lumière.

Ce jour-là, Dieu et Joshua étaient assis près de La Fontaine de l'Incarnation. Ils discutaient tous deux du contrat de cette nouvelle vie. Joshua commença à écrire tout ce qu'il recevait de cette vision inspirée par Son créateur.

Je me souviens tout à coup du jour où j'ai choisi de revenir à la terre. Dieu m'avait demandé d'apporter aux hommes la Lumière du Jardin. Il m'a dit « ouvre tes mains ! » et Il y déposa une magnifique plume blanche. Ensuite, Il me dit « cette plume vient de ton aile droite, c'est tout ce que tu emporteras sur la terre de ta nature angélique. C'est à travers cette plume que tu accompliras ta mission. Maintenant, ouvre ton cœur... J'ouvris les portes de mon cœur et Dieu y déposa une parcelle du Sien.

« Voici le Feu Sacré de mon Amour pour toi et pour toutes mes créatures. Porte cet amour à la terre, répands-le en toutes choses et à tous tes frères et sœurs de la terre. Ce qui te manquera... donne-le ! Si tu manques d'amour, donnes-en à profusion, si tu manques de sécurité, rassure ton ami, si tu manques de nourriture, partage le peu que tu as avec celui qui en a encore moins que toi, et tout te reviendra multiplié. Telle est la Loi de l'Abondance !

Je t'envoie sur la Terre, mon Ange bien-aimé, afin que tu portes Ma bénédiction à tous les êtres qui souffrent et qui ont perdu la foi et l'espoir. Cette bénédiction porte l'énergie de la Mémoire et de la Connaissance, afin que vous vous rappeliez d'où vous venez et que vous reconnaissiez le Créateur que vous êtes en votre essence et en votre existence. Va, mon ange, va porter la nouvelle !

Ne t'attache pas aux biens ni aux êtres qui croiseront ta route. Aime-les de tout ton cœur, profite des bienfaits qu'ils apporteront dans leur passage, sans oublier un seul instant que tu portes en ton cœur une seule Lumière : Ma bénédiction».

Joshua ouvrit les yeux et reprit sans réfléchir la plume blanche. Dieu poursuivit...

« Comment pourrais-tu me décevoir puisque je n'attends rien de toi ! Tu as courageusement accepté de prendre un corps pour venir porter aux hommes, aux femmes et aux enfants de la terre l'Amour dont je t'ai investi. Tu es béni ! Je t'aime au plus profond de ma lumière. Je t'admire et je sais que la condition humaine comporte des souffrances. La mort est si mal perçue et comprise des hommes. De là vient une grande partie de vos souffrances et de votre peur de vivre. Plus tu t'approcheras de Moi, plus tu sauras qui TU ES *vraiment. Ainsi ta mission t'apparaîtra douce, simple et joyeuse !*

Tu es une créature que je contemple avec grâce et dignité. Comment pourrais-tu porter la honte, tandis que Je suis si fier de toi ? Ton ego te joue parfois de vilains tours et tente de te ralentir, de t'abaisser et de t'alarmer ! Il connaît ta sensibilité et tes peurs, et il met tout en œuvre pour te faire croire que, si tu t'approches trop près de ta Divinité, tu perdras l'amour des tiens. Il sait à quel point le vide et l'absence de vie t'effraient, mon enfant. Sois en Paix !

Tous les corridors sont nécessaires à l'élévation ! L'ascenseur de l'âme s'arrête à chaque étage et oblige une "sortie", une pause dans le vide, le noir et le silence. C'est là que vous me trouverez ! Ma Lumière n'est pas perceptible en plein jour, dans votre course folle, votre stress et votre surconsommation. Pourtant vous pouvez entrer, vous asseoir près de moi, me parler et me recevoir comme tu le fais en ce moment. Mais votre mental est si puissant ou, plutôt, vous lui accordez tant de pouvoir... Si vous pouviez m'en accorder autant ! Si vous pouviez vous abandonner à mon amour et croire en vos propres pouvoirs ! Quels magiciens vous êtes !

L'humilité, *Joshua*, c'est recevoir Dieu à sa table sans en faire tout un plat !

JE TE BÉNIS. »

La main du scribe, épuisé, laissa tomber la plume... En même temps, remplie d'une nouvelle énergie, son âme réintégra le corps, qui sentait un si vif besoin de s'enraciner. Joshua expira profondément, mettant de côté tout ce qu'il venait de recevoir. Rendant grâce, il tira sa révérence.

Ouvrant les bras sur l'océan devant lui, il huma le vent du large et courut à grandes enjambées dans les vagues. Dans une immersion totale, Joshua lava son âme de toute honte, accueillant ainsi son humanité, ses peurs, ses forces et ses talents, mais surtout son « droit d'être heureux ».

Cette fusion à l'océan rafraîchit son corps, son âme et son esprit. S'asséchant sous les doux rayons du soleil de mai, Joshua sentit monter en lui le goût d'une bonne bière froide !

En ouvrant la porte de la glacière, il aperçut une petite note :

Salut !

Si tu retrouves le courage de l'aventure... si tu as envie de rire et de danser encore une autre nuit avec moi, rejoins-moi au 418.837.0394.

Vivement...

Émilie XXX

Un large sourire révéla un Joshua plus confiant...

« *Yes !* s'écria-t-il... *J'ai une autre chance !* »

4

Le passeur d'âmes

Il était 18h30 lorsque Joshua emprunta la route 132 pour rejoindre Émilie sur une terrasse à Maria, situé à 1h30 de Port-Daniel. Le cœur plein de confiance et l'âme à la conquête, le petit roi se jura cette fois de s'abandonner au jeu de la séduction et de l'amour. Il se sentait heureux d'être jeune et d'exprimer cette belle délinquance si longtemps reniée. Un sentiment de liberté émergeait de cette capacité à enfin laisser de côté « le petit parfait » en lui. *Oser se tromper, pourquoi pas? c'est merveilleux !* se dit-il.

Le soleil commençait sa descente et la mer prenait naturellement sa retraite. Joshua sentait une excitation presque enfantine, une euphorie comme il n'en avait plus vécu depuis des lunes. Le message de la Lumière, capté ce jour-là commençait à faire son œuvre. Il allait maintenant vivre le grand « test » d'intégration. La peur et la honte n'étaient pas invitées à ce rendez-vous !

Le jeune homme roulait à vive allure droit vers Maria, où Émilie l'attendait! Devant lui, une voiture sport suivait un lourd camion, qui semblait impatienter le jeune conducteur. À quelques reprises, celui-ci tenta un dépassement sur une ligne double. Jugeant ce comportement dangereux, Joshua prit ses distances. Le chauffard décida brusquement de doubler le long véhicule, à plus de 140 km/h. Malgré la vitesse à laquelle il tenta sa manœuvre, l'automobiliste imprudent n'eut pas le temps de se ranger. Il frappa de plein fouet un véhicule qui venait en sens inverse !

Joshua eut juste le temps de freiner et de se placer sur l'accotement. Le vacarme des éclats de vitres et de métal resterait longtemps gravé dans sa mémoire ! La voiture du jeune conducteur avait fait trois tonneaux pour se retrouver dans le fossé, tandis que la fourgonnette, sous l'impact, avait tournoyé trois fois sur la chaussée avant de s'immobiliser, déchiquetée.

Joshua accourut à leur secours. Un homme surgit de la forgonnette, criant à l'aide, hurlant sa détresse.

Tentant de calmer le conducteur, Joshua le prit par les épaules et lui dit :

« Monsieur, ici, regardez-moi dans les yeux, écoutez-moi... O.K., respirez bien et dites-moi, y a-t-il d'autres passagers dans la fourgonnette ?

– Ma femme... hurlait-il... ma femme et... »

S'agenouillant sur la chaussée ensanglantée et couverte de vitres, l'homme, tremblant, n'arrivait plus à prononcer un seul mot.

« Calmez-vous, ne vous inquiétez pas... j'ai déjà appelé les ambulanciers. Je vais voir ce que je peux faire. Je vous en prie, monsieur... restez calme et laissez-moi voir ce que je peux faire, O.K.? Attendez-moi ici. »

Joshua voyait bien que le pauvre homme ne pouvait être d'aucun secours à qui que ce soit gisant là, sûrement gravement blessé. Il s'approcha du tas de ferrailles et tenta quelques manœuvres pour sortir de la voiture une femme adossée sur le banc du passager. Lorsqu'il réussit à la déposer par terre aussi délicatement qu'il put, son regard croisa le sien. Ses yeux ressemblaient à des yeux de biche. D'un faible signe de tête vers la gauche, elle semblait vouloir lui indiquer une autre présence en arrière. Mais Joshua n'avait d'attention que pour elle.

« Regardez-moi, madame... regardez-moi ! Ne vous endormez pas. Les ambulanciers sont en route. On va vous sortir de là ! »

Paisiblement elle clignait des paupières et, incroyablement, un léger sourire étirait ses lèvres couvertes de sang. Doucement ses yeux regardaient ailleurs, au-delà de toute cette scène... Joshua vit qu'elle rentrait chez Elle, qu'elle fusionnait à la Lumière. Sans un son, sans un geste... elle s'éteignit.

Cette femme, que Joshua tenait morte sur sa poitrine, devait avoir environ le même âge que Laurie, sa mère, que la mort avait si tragiquement frappée et qu'il avait vue, impuissant, mourir sur le parquet de la cuisine, lui aussi couvert de sang. La scène se répétait et Joshua la revivait... mais cette fois il n'était pas seul. Ça, il le savait... Tout à coup, il entendit une petite voix gémissante...

« Maman... ma maman...! »

Allongeant respectueusement le cadavre de la mère, Joshua se précipita dans la voiture pour y découvrir, sur la banquette arrière, une petite fille coincée par la ceinture de sécurité. Son visage écarlate témoignait d'une suffocation intense. Seul ce faible gémissement sortait de sa bouche, « ma... ma... maman... »

Joshua fit vite de la détacher. Mollement, dans ses bras, elle s'effondra. Ses yeux se révulsaient et l'écume sortait de sa petite bouche entrouverte. Son faible pouls alarma Joshua, qui cherchait des yeux les ambulanciers. Il s'écria :

« NON... Tu ne vas pas mourir, toi aussi ! »

À ce moment précis, Joshua sentit que ce n'était plus lui qui parlait, ni qui agissait. L'Intelligence innée serait maintenant maître à bord ! Intuitivement, il prit la tête de ce petit ange entre ses mains et posa ses pouces sur ses tempes les massant doucement. D'âme à âme, une conversation s'installa :

« Veux-tu vivre, petite fille ? Regarde-moi bien dans les yeux ! Veux-tu rester ici avec nous ? »

L'enfant répétait en gémissant « ma maman ! » Puis, doucement elle se mit à sourire. Elle continua...

« Maman est là, je la vois dans le soleil blanc ! Elle est belle, maman... elle est mon ange pour toujours, toujours ! »

Joshua la secoua légèrement pour tenter de ramener l'esprit dans le corps. Il se rappelait à quel point lui-même s'était senti aspiré par la force d'attraction de la Lumière lors de son initiation sur la montagne, tandis qu'il avait vécu une sortie de corps.

« Écoute-moi bien, petite fille... comment t'appelles-tu ?

– Maude... je m'appelle Maude !

– Quel âge as-tu ?

– J'ai 5 ans... »

Elle commençait à pleurer maintenant.

« Où est mon papa ?

– Il est là tout près et il a peur pour toi. Il a besoin de toi. Reste Maude, je t'en prie... reste. Je sais que tu peux avoir envie de suivre ta maman, mais rappelle-toi ton contrat avec Dieu ! Je sais que tu connais ce langage, je sais que, même si tu es une petite fille de 5 ans, tu connais le langage des Anges ! Accroche-toi, petite, je t'en prie ! »

Joshua se rappela soudainement du message de la veille *« tu n'as qu'une seule mission... apporter Ma bénédiction à ceux qui souffrent... laisse-moi agir... tu portes en ton cœur l'Amour dont je t'ai investi. »* Toutes ces phrases qui lui étaient apparues alors générales, le frappaient maintenant droit dans la conscience. *Je n'ai qu'à la bénir, c'est tout ! Dieu n'attend rien d'elle... qui suis-je pour la prier de rester ? C'est entre elle et Dieu maintenant. Je n'ai plus qu'à la bénir.*

Et Joshua s'exécuta dans la plus grande dignité, il posa sa main droite sur le cœur de la petite et la gauche sur son cœur. Il tissa visuellement un cordon d'or entre les deux cœurs et laissa couler la Lumière du Tout-Puissant.

« Petite Maude d'amour, tu es bénie ! »

Tous les signes vitaux disparurent lorsque Joshua enleva sa main. Une peur bleue s'empara de lui pour un instant. Son ego voulait lui faire croire qu'il était le maître de la situation... vite, il se rappela qu'il était l'instrument de Dieu.

Les cris stridents de l'ambulance annonçaient l'arrivée des secours. Deux ambulanciers se précipitèrent sur la petite et pratiquèrent sur-le-champ les techniques de réanimation.

Pendant ce temps, Joshua tentait de calmer le père devenu hystérique. En un tournemain, un troisième ambulancier lui administrait un calmant. Assis inerte dans l'ambulance, l'homme fixait le corps sans vie de sa petite Maude adorée.

« Nous la perdons... nous la perdons, Bernard. Elle ne respire plus... je crois que nous l'avons perdue.

– Non, continuons... continuons... » insistait l'autre, les gouttes de sueur tombant lourdement sur le petit corps inerte.

Joshua priait de toute son âme pour la survie de cette petite princesse. Soudain il sentit qu'il avait quelque chose à faire. Il se précipita dans l'ambulance et demanda aux ambulanciers, qui étaient sur le point de renoncer, s'il pouvait s'en approcher. Ils se consultèrent du regard et, d'un commun accord, cédèrent la place à Joshua.

« Maude, écoute-moi... tu ne m'as pas répondu tout à l'heure. Qu'as-tu l'intention de faire ? Où veux-tu aller ? »

Les ambulanciers s'impatientaient. Qui était-il et que faisait-il là en train de parler à une enfant cliniquement morte ?!

« Croyez-moi, je sais ce que je fais ! Laissez-moi encore quelques minutes. »

Doucement, Maude ouvrit les yeux. Fixant Joshua droit dans l'âme... elle sourit. Ce sourire voulait dire *« Merci », je reste ! Pour ma mission et pour mon papa ! Je reste.*

Joshua sortit, sanglotant, sans un mot. Il entendait derrière lui les ambulanciers parler de miracle. Mais le chant le plus doux était celui des sanglots mêlés de rire du père !

Le passeur d'âme s'effaça à travers les gyrophares de l'ambulance et des voitures de patrouille ainsi que des regards des curieux. Il marchait, déambulant dans la mêlée. Tout à coup, il s'arrêta net... D'autres ambulanciers remontaient du fossé, dans un grand sac de plastique jaune, la dépouille du jeune chauffard.

Joshua secoua la tête, se disant à quel point la vie est fragile et imaginant la peine dont les parents de ce jeune homme seraient affligés. Passant près d'eux, d'un geste respectueux, Joshua posa sa main droite sur la dépouille et sa main gauche sur son cœur. Bénissant le corps et l'esprit du jeune garçon, il lui dit :

« Va vers la Lumière... regarde vers le haut... Dieu t'attend ! Pardonne-toi... »

Lorsqu'il prit place dans sa voiture, Joshua se laissa tomber bras et tête contre le volant comme pour laisser son esprit décanter, assimiler tout cet épisode. L'état de choc le garderait à fleur de peau durant quelques jours. Il avait pris contact avec l'impuissance humaine, mais cette fois la Lumière Divine s'était manifestée et il l'avait compris. Relevant la tête et démarrant la voiture, il entendit une voix chuchoter...

« Merci, cher ami... »

Se redressant doucement pour voir dehors qui s'adressait à lui, il ne vit personne.

« Merci, Joshua... » reprit la voix qui venait de sa droite.

Se tournant il aperçut cette femme qu'il avait tenue morte dans ses bras. Son cœur fit trois tours...

> *« Je sais que tu es un passeur d'âmes !... Le Grand Plan était ainsi dessiné et nous t'avons choisi pour nous accompagner dans le passage. Merci d'avoir aidé Maude à choisir la vie. Un jour, mon mari et elle comprendront tout le sens de ma mort. Pour l'instant ils arriveront à survivre, mais comme toi ils grandiront, et deviendront des êtres de Lumière qui en aideront d'autres. Va ta route, Joshua... maintenant tu sais que tu es un* passeur d'âmes. »

Et dans la lueur du coucher de soleil, l'âme fit sa sortie du corps par le chakra du cœur et la forme s'estompa. L'âme s'envola... sereine, consciente et rassurée.

Émilie, après une heure d'attente, quitta le resto-bar où Joshua lui avait donné rendez-vous. Convaincue qu'il avait eu peur de l'aventure, elle ne se doutait pas de celle que lui venait de vivre.

Le lendemain matin Joshua tenta de la rejoindre pour lui expliquer son périple, mais elle ne répondit pas.

Désolé, Joshua se dit que la vie était intelligente et que la magie de la synchronicité ferait son œuvre à nouveau. À travers tous les processus de détachement de son enfance jusqu'à ce jour, le lâcher-prise était devenu une gymnastique de plus en plus aisée à pratiquer pour le jeune homme.

Cette journée, il la consacrerait à la méditation et à la prière. Une fatigue profonde, jusqu'aux os, se faisait sentir partout dans le corps. Un repos total s'imposait. Il ne cherchait pas à comprendre. Dans sa grande sagesse, il demeurait conscient qu'il n'avait ni sauvé cette petite fille ni permis à sa maman de partir en paix. Il reconnaissait le libre arbitre de chaque âme incarnée ou désincarnée, et sa mission était fort simple... être l'instrument de Dieu et accompagner ! Cette initiation s'intégra au plus profond de son âme, laissant l'ego en retrait, seul à croire qu'il était le Sauveur !

5

Une nouvelle vie

L'amour allait très bien à Mathilde ! Depuis la rencontre de son âme sœur, la jeune femme s'était en quelque sorte métamorphosée. De plus en plus coquette et féminine, Mathilde risquait même parfois quelques excentricités qui plaisaient beaucoup à Philippe. Voir Mathilde penser davantage à elle, et pouvoir la choyer, faisait de lui un homme heureux.

À Florence, la nouvelle mariée eut tout le loisir de s'entourer de grâce et de beauté. Mais ce qui demeurait le plus précieux dans sa vie était la complicité, la tendresse et l'humour qu'elle partageait avec son amoureux. Le couple ne se lassait jamais d'échanger pendant des heures devant un bon repas italien accompagné des meilleurs vins.

Philippe venait d'achever son manuscrit pour le prochain livre qu'il publierait à son retour de voyage. *Soigner l'esprit et l'âme pour guérir le corps*... était le titre qu'il avait en tête. Depuis fort longtemps, le chirurgien neurologue prônait l'équilibre de la médecine holistique. Homme de foi autant qu'homme de science, Philippe s'attirait le respect autant de ses collègues que de ses patients. Ses conférences intéressaient les gens de tous âges avides de découvrir tous les outils pour leur mieux-être et leur guérison. Mathilde et son mari passaient de longues heures à se nourrir spirituellement et psychologiquement en évoquant différents cas qu'ils avaient traités récemment. La compétition ne faisait pas partie de leur alliance. Leur relation était bâtie sur la complémentarité et le soutien mutuel.

Ce soir-là, Philippe s'était offert un des ses plus grands plaisirs... cuisiner ! Il aimait s'occuper de tout... des emplettes jusqu'au service. De surcroît, n'avait-il pas le bonheur de dresser une table sur la véranda d'une magnifique maison juchée dans les collines de Capri ? Surplombant la mer, la véranda leur offrait un point de vue féerique. Les amoureux s'étaient offert ce voyage de rêve pour célébrer leur union, et ils profitèrent de tous les instants magiques que la vie leur offrait. Mathilde, qui avait longtemps eu peine à se prévaloir du soutien et de l'abondance dans sa vie, pouvait maintenant accueillir tous ces cadeaux et cet amour en remerciant, chaque fois, pour la moindre petite chose que la vie lui envoyait... sans plus jamais se sentir coupable.

« Le champagne est servi, madame... annonça Philippe dans son allure de Maître d'Hôtel. »

Mathilde, qui avait magasiné tout l'après-midi, entra dans la pièce vêtue d'une splendide robe noire qui mettait en valeur son *sex-appeal* et sa grâce. Philippe faillit bien laisser tomber le Dom Pérignon par terre ! Au lieu de cela, sans quitter Mathilde des yeux, il déposa délicatement la bouteille dans le seau à glace, et appuya discrètement sur le bouton *play* du lecteur CD...

« Voulez-vous m'accorder cette danse, belle dame ? »

Mathilde, souriante et les yeux brillants comme des diamants, lui tendit gracieusement la main. Ils avaient eu la brillante idée, pour mieux se connaître, de suivre des cours de tango. Mathilde qualifiait cette danse d'évolutive et thérapeutique. Ils adoraient vivre ce moment de passion... un prélude à l'amour, une danse pour les âmes !

La soirée se déroula sous une note magique à tous points de vue. Le repas était délicieux, le champagne et le vin savoureux, l'amour exquis.

Mathilde ne pouvait espérer rien de plus magifique. Allongés dans des chaises longues sur la véranda, emmitouflés dans leurs peignoirs, Philippe caressait les cheveux de son ange. Doucement, il lui dit:

« Hé ! j'ai une surprise pour toi, mon amour... viens, assieds-toi ! »

Mathilde, intriguée, cherchait à deviner... mais aucun indice pour la mettre sur une piste.

Philippe se dirigea vers la chambre d'où il revint, une grande enveloppe à la main. Il s'assit à la table, y déposa l'enveloppe et fit signe à Mathilde, d'un léger signe de tête, de le rejoindre. Il souriait à ce moment si attendu !

« Mon amour, je veux partager avec toi ce rêve que je caresse depuis si longtemps. Je ne t'en ai pas parlé afin de t'épargner une déception au cas où ça n'aurait pas fonctionné. »

Le mystère continuait de grandir dans l'esprit curieux de Mathilde. Elle écoutait sans rien dire, tantôt les sourcils froncés, tantôt relevés...

Philippe ouvrit précieusement l'enveloppe pour en sortir une magnifique maquette couleurs. Sur la façade de l'édifice représenté, on pouvait lire en grandes lettres:

«Centre de Santé Holistique Simon-Simard»

Un petit cri s'échappa de la bouche de Mathilde, qui n'eut pas le réflexe de la refermer, tellement elle était ébahie. Les mains à plat sur la table, de peur de tomber de sa chaise, la jeune femme croyait rêver. Un Centre de guérison portant son nom et celui de Philippe. Leur fondation ! Leur rêve !

Philippe pleurait, Mathilde riait... elle prit le visage de son mari entre ses mains, leurs yeux se racontant leur bonheur partagé. Pour couronner leur mariage, voilà maintenant qu'ils épouseraient la même mission, sous le même toit, dans les mêmes vibrations, avec la même fougue de venir en aide, de soigner, d'enseigner et d'aimer !

« Mon amour, merci, merci... c'est grâce à toi, tout ça !

– Oh non, ma chérie... tu oublies ? *It takes two to Tango !* Je ne pourrais danser sans toi comme je ne pourrais fonder ce Centre sans toi ! Je remercie la vie pour toi, pour nous ! »

Leur baiser long comme la mer soudait cette alliance corps, âme, esprit.

Il était 5h00 du matin lorsqu'ils s'endormirent sur la véranda, les plans et les maquettes éparpillés autour de la causeuse, ils étaient tous deux dans les bras de Morphée, rêvant de leur nouvelle vie.

Le lendemain, Mathilde attendait impatiemment qu'il fût au moins 14h00 en Italie avant de signaler le numéro de Port-Daniel et entendre la voix de son fils adoré...

« Oui, allô!

– Joshua, mon grand... comment vas-tu ? Tu ne croiras jamais ce que j'ai vécu et reçu hier, mon ange ! »

Toi non plus, maman... pensa-t-il... *Toi non plus !*

6

La loi du retour

Quelques jours après l'accident, Joshua ressentit le besoin de sortir de sa solitude. Ayant récupéré son énergie, il souhaitait poursuivre ses vacances en explorant la péninsule.

Arrivé à Gaspé, il choisit une petite auberge pour s'y installer quelques jours. Il était tôt en après-midi et il n'avait pas dîné. Tout près de l'auberge, un petit café s'annonçait sympathique. En attendant d'être servi, il feuilletait sans grand intérêt le journal déjà sur la table – chose qu'il ne faisait jamais. C'est la troisième page qui capta vivement son attention. Sous la rubrique *Avis de recherche*, il lisait, ébahi :

> *Ma fille, ma femme et moi avons été victimes d'un grave accident samedi dernier sur la route 132 dans la région de Bonaventure. Ma femme est morte, ma petite s'en est sortie mais elle est toujours sous surveillance. On ne craint plus pour sa vie, Dieu merci ! Et c'est grâce à un homme qui l'a sauvé. J'étais sous le choc et je n'ai pas pu lui parler. Je le recherche. Nous sommes au Centre Hospitalier de Maria à la chambre 2-422. Nous rentrerons chez nous à Ste-Foy d'ici trois jours si tout va bien pour ma petite fille.*

Je vous en prie, Monsieur, si vous lisez cet avis, donnez-moi signe de vie. J'ai besoin de vous remercier, et ma petite Maude me parle de vous sans cesse depuis l'accident. Tous les deux, nous aimerions vous revoir, vous avez été notre Ange, et celui de ma femme aussi, même si elle est décédée.

N'ayez crainte, nous respecterons votre anonymat.

Je prie pour vous revoir.

Éric Lebrun.

Maude Lebrun.

Les mains jointes sous le menton, Joshua tentait de retenir son émotion. Le message bienveillant de l'homme le toucha profondément. Mais un dilemme s'installa aussitôt dans son esprit... d'une part, il aurait aimé revoir la petite Maude et prendre de ses nouvelles ; il aurait aussi souhaité rassurer son papa en lui disant que sa femme était partie sereine et sans souffrance. Mais le « sauveur » dont il était question dans l'article, ce n'était pas lui. Il ne souhaitait surtout pas se voir remettre une médaille d'héroïsme puisqu'il n'avait rien fait pour sauver cette petite fille... Il devait réfléchir, et choisir entre ignorer l'avis de recherche et demeurer dans l'ombre, ou répondre au souhait de Maude et de son père et se présenter humblement comme instrument de Dieu. Il devrait y songer, méditer sur ce qu'il y avait de mieux à faire. Il demanda un signe pour le guider dans cette décision délicate.

Le lendemain matin, dans la salle à dîner de l'auberge, Joshua, silencieux, réfléchissait toujours à la requête émise par Éric et Maude. Durant la nuit, un court rêve l'avait troublé quelque peu. La mère de Maude était venue lui demander d'être son messager. *« Faites-le pour moi, pour m'aider à traverser ! »* l'avait-elle supplié. Il enregistrait ce rêve comme un premier signe à son interrogation.

Comme pour le soutenir dans sa réflexion, il reçut dans l'instant un deuxième signe. À la table d'à côté, les gens discutaient justement de cette affaire.

« Moi je crois vraiment que c'est un Ange qu'ils ne reverront jamais... dit une dame d'un certain âge.

– Eh bien, moi je pense que c'est un touriste qui est reparti chez lui, sans plus. Il a fait ce qu'il avait à faire, c'est tout... répliqua une femme plus jeune qui semblait être sa fille.

– Mais quand même, reprit une jeune adolescente, si j'étais lui et que je voyais l'article dans le journal, je ne laisserais pas tomber ces gens qui doivent avoir tellement de peine. Moi, j'irais les voir, c'est sûr ! »

Les deux autres femmes écoutaient la jeune fille et se mirent d'accord avec elle... en concluant : « Ouais, tu as raison... il devrait y aller ! »

Le message devint très clair. Joshua ferait demi-tour vers Maria ! Mais il ne viendrait pas seul...

En route vers l'hôpital, il se préparait intérieurement. Se rappelant le message divin, il pratiquait l'exercice de lâcher-prise par la respiration. Inspirant la lumière et expirant par le cœur, il centrait son énergie et élevait son taux vibratoire.

J'écouterai et je suivrai la voix de mon cœur... se dit-il.

Il invoqua aussi l'esprit de la jeune maman lui demandant de le soutenir et de se manifester en douceur, afin que son mari et sa petite fille puissent goûter l'énergie de l'amour inconditionnel de l'au-delà... cet amour qui lui avait permis de s'élever si jeune vers les forces de l'invisible.

Arpentant le long corridor de l'hôpital, Joshua sentit monter en lui un immense chagrin en voyant ces petits enfants alités, malades et si pâles. Lui vint soudainement l'envie de les prendre tous dans ses bras, de les bercer, de les soigner et de les envelopper d'amour. Ce contact avec ces enfants malades le troubla profondément, comme si quelque chose de viscéral montait à la surface, comme une réminiscence lointaine... Soudainement, une phrase, émergeant de nulle part, le frappa de plein fouet : *« Laissez venir à moi les petits enfants ! »*

Se précipitant droit vers la salle des toilettes pour s'asperger le visage, Joshua se retrouvait en contact direct avec une mémoire karmique profondément inscrite dans l'inconscient, qui surgissait et le chavirait.

Bon... je suis venu ici pour Maude et son père ! Respire bien, détends-toi... se répétait-il. *J'y reviendrai, je comprendrai avec le temps... tout est parfait, calme-toi !*

Le besoin de demander l'aide d'un guide spirituel l'envahit tout à coup ; spontanément il s'adressa à saint François d'Assise et lui demanda sa grâce et sa sagesse.

> *« Saint François, toi qui aimes tant les petits enfants, toi qui les as tant soignés, nourris et aimés... donne-moi la force de reconnaître quel est mon rôle ici. Donne-moi le courage de réaliser ma vraie mission sur terre. Merci ! »*

Dès lors que sa prière fut lancée dans le ciel de saint François, Joshua se sentit apaisé. Il se dirigea résolument vers la chambre de Maude, sans regarder cette fois les autres enfants. Toute son énergie lui serait nécessaire pour cette rencontre qui, il le savait, serait chargée d'émotions et de vibrations de haut niveau spirituel.

2-422... c'est ici !

Comme il s'apprêtait à frapper sur le cadrage de la porte entrouverte, il aperçut le visage angélique de la petite Maude endormie.

Scrutant autour de son lit, il ne vit personne d'autre dans la chambre. Sur la pointe des pieds, tel un ange, Joshua s'approcha de la petite dont le visage portait quelques blessures de l'accident. Ce visage si beau, si pur et si doux apparaissait tout aussi parfaitement dessiné malgré ces quelques égratignures. Maude respirait bien, Joshua respirait mieux.! Ses petites mains l'une sur l'autre reposaient sur sa poitrine, tandis que ses pieds dépassaient des couvertures, chaussés de bas de laine multicolores. Joshua caressa doucement le dessus de son pied.

« C'est sa grand-maman Lucille qui lui a tricotés... » chuchota une voix derrière lui.

Joshua sursauta, se retourna et retrouva le visage défait de l'homme qu'il avait tenté de ressaisir ce jour-là. Ses traits portaient les marques profondes de la douleur de l'âme. Ses yeux bouffis témoignaient des milliers de larmes qu'il avait répandues depuis trois jours. Une fatigue grande comme la terre chargeait ses épaules courbatues... il contemplait sa petite princesse avec une tristesse vaste comme la mer.

Joshua ne dit rien... il le prit dans ses bras. Il savait que c'était tout ce dont Éric avait besoin à ce moment précis. Une épaule solide, des bras rassurants et surtout un cœur ouvert juste pour lui. Il comprenait aussi que le père de Maude se trouvait éloigné des siens. Sa mère, Lucille, lui manquait grandement en ce moment précis. Son père, décédé depuis quatre ans, le soutenait bien de l'au-delà, mais ça, Éric l'ignorait totalement. Dans sa détresse, c'était d'une présence humaine dont il avait besoin.

Joshua transportait dans son énergie l'amour de tous ces gens. Conscient de la bénédiction divine qu'il venait porter à cet homme accablé, Joshua était conscient que les mots ne pouvaient traduire la puissance de cette Lumière qui l'habitait.

Les sanglots du jeune veuf réveillèrent la petite Maude. Il sortit rapidement de la chambre pour essuyer ses larmes et retrouver ses sens. Homme de famille, vaillant et bon, Éric n'exprimait pas facilement ses sentiments et ses émotions dans la vie de tous les jours. Isabelle lui disait souvent: *« tu refoules, mon amour... un jour, ça va sauter. »* Le sujet de la mort était complètement tabou dans sa famille et il ne tenait pas non plus à s'ouvrir sur ce mystère avec Isabelle. Après la mort de son père, il ferma la porte complètement, s'efforçant de ne pas le pleurer et de ne plus en parler. Isabelle voulait tant l'aider! Elle lui suggérait des lectures sur le deuil. *« Tu sais bien que je n'aime pas lire »* lui répondait-il froidement. Un jour, elle lui avait proposé de l'accompagner à travers une thérapie de groupes pour personnes endeuillées. *«Vas-y si tu veux, moi je n'en ai pas besoin. Il est fait, le deuil de mon père... Bien avant qu'il meure, il était déjà mort pour moi. »*

Isabelle avait fini par se résigner et se dire qu'elle ne pouvait rien faire pour son mari qu'elle aimait profondément, tant qu'il n'accepterait pas de regarder ces grandes blessures au fond de lui et en prendre soin. *«On ne change pas les autres, je n'ai pas de pouvoir sur la vie de mon chum ! »* s'était-elle souvent répété.

Désormais, Éric ne pouvait plus refouler ou nier sa déchirure en se refermant sur lui-même, comme il l'avait toujours fait. D'ailleurs, la petite Maude ne lui donnerait pas de répit. *Elle* voulait entendre parler de sa maman... *elle* voulait savoir si son papa allait survivre et prendre soin d'elle... *elle* voulait entendre *les vraies choses*! C'est pour cela qu'elle n'avait cessé d'invoquer le nom de Joshua depuis l'accident. Elle ne voulait pas perdre la connexion avec l'Ange !

Lorsqu'elle ouvrit ses yeux de faon, Joshua reconnut ceux de la mère. Il retint ses larmes devant la beauté et la pureté de cette enfant.

Elle lui sourit...

« Allô... tu es venu ? Je suis contente... est-ce que tu veux un chocolat ? C'est papa qui me les a achetés. Ceux aux noisettes sont super bons ! »

Souriant aux confiseries et ouvrant mystérieusement la boîte, Joshua entra dans le jeu, au plus grand bonheur de la petite. Il acceptait sa récompense... son cadeau ! Et quoi de mieux que les chocolats pour dire « je t'aime ». Il ferma les yeux, promenant son index, scrutant intuitivement la boîte pour trouver le trésor aux noisettes.

Elle riait ! Il hésitait !

« Celui-là ? Non ? Celui-ci alors ? Non... bon, ça y est... c'est celui-là ! Ouais, je l'ai eu ! Hummm... tu as raison, aux noisettes, ce sont les meilleurs ! »

Cela les soulageait tous deux de rire ainsi. Éric souriait, tout en laissant couler les larmes sur ses joues enflées...

« Et pourquoi, Maude, aimes-tu autant les chocolats aux noisettes ? » lui demanda son père, les bras croisés, en attendant que la petite évoque un doux souvenir de sa femme.

Fixant Joshua dans les yeux, elle expliqua tristement :

« Parce que ce sont les préférés de maman ! »

De toutes ses forces, la petite fille de 5 ans retenait ses larmes pour ne pas faire plus de peine encore à son papa. *Que c'est fort l'amour d'un enfant !* se dit Joshua. Ce souvenir de ne pas vouloir faire pleurer Laurie remonta si intensément en lui, qu'il savait exactement comment Maude se sentait à ce moment précis... il vint alors à son secours.

« Je suis venu pour te dire que ta maman est très fière de toi, Maude !

– Je le sais, elle me le disait toujours... mais là, je ne l'entends plus, par exemple ! Pourquoi, toi, tu le sais ? »

C'en était trop pour Éric... c'était trop difficile. Il fallait qu'il sorte de cette chambre au plus vite, sinon il risquait une autre explosion, et cette fois devant sa petite fille. Il éclaircit sa gorge nouée...

« Je vous laisse jaser tous les deux ! Je vais aller prendre un café, O.K. Maude ? Papa sera pas loin, juste à côté à la cafétéria, O.K. ? »

Un petit coup de tête confirmait au père que sa petite fille se sentait en sécurité avec l'Ange. Joshua posa sa main sur l'épaule d'Éric en guise de compassion. Ce geste signifiait : *je suis là pour toi aussi... on se parlera seul à seul plus tard...*

Observant le fonctionnement de Maude, Joshua se dit que le système de survie des enfants dépassait tout entendement. Maintenant que son père n'était plus dans la pièce, la petite osa ouvrir son cœur et son âme à Joshua. Sans qu'il lui demande quoi que ce soit, elle commença :

« J'ai pas eu peur, tu sais ? Parce que je voyais maman dans la lumière, et toi tu mettais de l'amour dans mon cœur, et là, je savais que je pourrais vivre... »

Elle fit une pause et, timidement, lui dit sur un ton presque langoureux : *« Tu es beau ! »*

Cette spontanéité ébranla Joshua. Elle avait prononcé ces mots comme pour dire : *« Je suis amoureuse de toi... »*

Émus, Joshua lui retourna cette énergie aussi spontanément :

« Moi aussi, je t'aime, Maude... tu es la plus belle petite fille que j'aie jamais vue ! Je sais une autre chose aussi sur toi...

– Ah oui ? Quoi ?

– C'est que tu es très très bonne en dessin et que tu sais déjà écrire et compter jusqu'à 100.

– Qui te l'a dit ? C'est maman ?

– Oui... c'est ta maman ! Elle me dit aussi que tu es la petite fille la plus courageuse de la terre et elle veut que tu saches qu'elle sera toujours là pour toi, comme un Ange Gardien.

– C'est drôle, parce qu'elle me l'a dit aussi quand je l'ai vue dans le soleil blanc ! C'est la même chose. C'est pour ça que je voulais que tu viennes... »

Elle voulut l'appeler par son nom, mais Joshua ne s'était pas présenté... il l'aida.

« Joshua, je m'appelle Joshua.

– *Shojua*... c'est difficile à dire !

– Je vais t'aider... c'est Jo... comme dans Joe, ensuite "shua" comme dans "choix"... Ça fait... *Joe-choix* »

Et elle s'amusa à répéter « Jo-shua, Jo-shua, Joshua »

« C'est quel nom en français ?

– En français, ça veut dire Jésus.

– *Wow*... tu t'appelles Jésus, t'es chanceux ! »

Joshua souhaitait poursuivre la conversation qu'il jugeait très importante...

« Tu étais en train de me dire pourquoi tu voulais que je vienne... veux-tu m'expliquer, Maude ?

– C'est parce que mon papa, lui, il ne croit pas ce que je lui dis. Ben, il fait semblant qu'il croit pour ne pas me faire de peine, mais je sais qu'il pense que c'est mon imagination. Si c'est toi, il va te croire ! Maman me l'a dit. Elle dit que papa a besoin de savoir qu'elle est bien et qu'elle veille sur nous. Toi, Joshua, comment ça ce fait que t'es pas un enfant et que tu l'entends, ma mère ?

– Je vais te raconter une belle histoire ! »

Et il lui raconta l'histoire de son *Petit Livre* et de sa maman qui avait toujours guidé ses pas. Il ouvrit son cœur et laissa parler le petit Joshua de 5 ans, avec sa couronne sur la tête. Maude, fascinée par le récit de son ami, se permit de laisser couler ses larmes devant lui. Parce que lui aussi avait perdu sa maman et il avait eu de la peine, beaucoup de peine... La petite se donna alors le droit d'exprimer tout ce chagrin... Pas devant son père bien sûr, mais dans les bras de Joshua, elle pleura un bon coup. Et lorsque les sanglots devinrent un doux gémissement, elle demanda...

« Est-ce que tu veux me trouver le chocolat aux noisettes qui reste dans la boîte ? Laisse-toi guider, maman va t'aider... »

Isabelle guidait la main de Joshua sans faillir ! Joshua moucha le nez de la princesse et lui dit :

« Ferme tes yeux ! Ouvre ta bouche ! »

Elle goûta soigneusement.

« Et puis ? Ta maman ne s'est pas trompée ?

– Maman ne se trompe jamais. » lui dit-elle, mâchouillant la preuve de sa présence, et dégoulinant sur sa petite jaquette blanche.

Joshua lui ouvrit grand les bras et la petite se pendit à son cou, déposant sa tête sur son épaule. Elle savait maintenant que l'amour d'une maman, tout comme les chocolats... c'était infiniment bon et ça existerait toujours !

Éric tendait l'oreille sur le pas de la porte, attendant quelques signes qui lui indiqueraient que les vagues d'émotions ne risquaient plus de le submerger. Doucement, les rires et la conversation animée des deux complices l'invitèrent à revenir auprès d'eux.

« Regarde, papa, Joshua et moi on a mangé tous les chocolats aux noisettes !

– C'est correct, ma chérie, tu peux manger tous les chocolats que tu veux... »

Se tournant vers Joshua, il dit :

« Vous savez, je n'ai plus toute ma tête et encore moins de jugement... je ne réalise pas encore tout ce qui est arrivé. Je suis si... »

Et il ravala à nouveau. À cet instant, l'infirmière entra dans la chambre pour changer le pansement de Maude. Le moment parfaitement choisi permettrait aux deux hommes de se retirer. Joshua proposa à Éric d'aller marcher prendre un peu l'air.

Cette idée lui convenait parfaitement, car elle venait de répondre à son besoin urgent de nicotine. Aussitôt sorti, il se grilla une cigarette et expira profondément en emboîtant le pas avec Joshua.

« Je ne suis pas fier de moi, dit-il, tête penchée. J'avais enfin réussi à lâcher cette merde depuis trois ans. Isabelle était si fière de moi... elle disait : "tout ce que tu fais pour allonger tes jours, mon amour, c'est comme si tu me disais chaque jour que tu m'aimes." Vous savez, elle disait ça parce que je ne lui disais pas souvent à quel point je l'aimais. Je regrette tellement de choses... »

Un nouveau volcan explosa ! Jamais Joshua n'avait vu un homme se noyer dans une aussi grande détresse. Il cherchait les mots pour le soutenir, mais en vain ! Rien, sauf soudainement une information qu'il devait vérifier avec lui.

« Excusez-moi, Éric, je ne sais pas vraiment quoi vous dire pour vous aider... vous avez toute ma compassion et ma sympathie, cher ami... mais voilà, je dois vous demander ce que représente le 12 juillet 1997 pour vous ?

– Pourquoi vous me demandez ça ? C'est la date de notre anniversaire de mariage !

– C'est un peu délicat à vous expliquer, Éric... Croyez-vous en une vie après la mort ? Croyez-vous qu'Isabelle est avec nous en ce moment ?

– C'est Maude qui vous a mis ces histoires-là dans la tête ? Et probablement elle aussi qui vous a parlé de notre date d'anniversaire ?

– Non Éric, pas du tout... mais ce n'est pas important, oubliez ce que je viens de vous dire ! Je respecte vos croyances et je ne ferai pas d'intrusion, mais voilà... c'est comme ça depuis que je suis tout petit. Depuis la mort de ma mère, j'avais alors 8 ans. Pour moi, il ne s'agit pas de croire mais plutôt de savoir. Après tous les messages que j'ai reçu depuis 20 ans et toutes les confirmations qui sont venues par la suite, je n'ai ni doute, ni croyances. Mais je respecte les gens qui choisissent de ne pas s'ouvrir à cette dimension. »

Éric devint songeur.

« Ma femme croyait en ces choses-là. Elle adorait lire à ce sujet et je vais vous dire, le film qui l'a le plus marqué dans sa vie, c'était *Mon fantôme d'amour*, comme si elle avait su qu'on vivrait quelque chose de semblable un jour ! Ça aurait dû être moi qui parte à sa place... Maude a plus besoin de sa maman que de moi. Qu'est-ce que je vais faire avec une petite fille de 5 ans, ma job, ma peine... je vous le dis, je crois que je vais devenir fou. »

Joshua n'écoutait plus ce que disait Éric. Il entendait une autre voix lui répéter sans cesse :

« Joshua, parlez-lui du bébé... parlez-lui du bébé de 2 mois... il est le seul à savoir »

Se grattant la tête, Joshua se risqua à nouveau.

« Euh... elle tient absolument à ce que je vous dise autre chose avant de partir... je suis désolé, Éric, mais elle insiste et je dois respecter sa demande.

– Mais d'où ça vous vient, tout ça... ça vous arrive du ciel ou quoi ? »

Le ton commençait à grimper et il devenait de plus en plus agressif. Joshua avait l'impression de marcher sur des œufs !

« Le bébé. Elle veut que je vous parle du bébé de 2 mois. »

Le visage d'Éric était passé de pourpre à blanc.

« Le bébé ? s'étrangla-t-il... le bébé ? Qu'est-ce qu'elle dit... »

Il pleurait maintenant à chaudes larmes.

« Elle dit de ne pas en parler à Maude, que c'est votre secret, et que la petite a suffisamment de deuil à traverser pour le moment. *Quand elle sera grande*, dit-elle... *vous saurez choisir le meilleur moment... ce sera mieux pour elle.* »

L'homme, abasourdi, prit une grande respiration et se lança :

« Isabelle était enceinte de deux mois. Nous attendions cette grossesse depuis trois ans. Elle était tombée enceinte deux ans après la naissance de Maude, et nous étions tous les trois fous de joie. Mais elle a fait une fausse couche après deux mois et demi. Cette fois, on s'était promis de ne pas en parler à la petite ni à personne avant la fin du troisième mois. »

Soudainement, il attrapa Joshua par les épaules, le secouant mollement, tellement il n'avait plus de force :

« Vous comprenez ? Vous comprenez ? Je suis le seul à savoir qu'elle portait un bébé de deux mois... elle est là, mon Isabelle, elle est là ? Faites-la parler encore, je vous en prie ! Est-ce qu'elle est bien, est-ce qu'elle va m'aider ? »

Joshua ne captait plus rien. Une peur que l'homme devienne hystérique s'empara de lui.

« Éric, laissez-moi vous expliquer. Ces manifestations, ce n'est pas moi qui les contrôle, voyez-vous. Ce n'est pas moi qui communique avec Isabelle, c'est elle qui m'a choisi pour communiquer avec vous. Avant de mourir dans mes bras, elle a souri et m'a fait signe de m'occuper de Maude sur la banquette arrière. Elle n'a pas souffert, je peux vous le dire. Elle est partie très doucement et, après son dernier souffle, son visage était tout paisible et souriant. C'est tout ce que je peux vous dire, Éric !

– C'est tout ce que j'ai besoin de savoir, mon ami.. ».

Les sanglots secouaient le corps de l'homme à grands coups. Se tenant la tête, Éric se dirigea vers un banc dans le parc de l'hôpital, sortit un mouchoir et s'essuya le visage, le cou et les mains. Un immense soupir émana de son corps, comme s'il venait de sortir d'un tunnel en feu !

« Ah ! Ouf ! ça fait du bien... je me sens tellement mieux. Depuis trois jours, j'avais l'impression que j'allais étouffer ou éclater en mille morceaux. C'est passé, c'est comme si le mal est enfin sorti de moi. Je ne sais pas trop comment vous expliquer. Je sais que je vais passer à travers maintenant. Ça ne sera pas facile, ça aussi, je le sais. Mais je sais, je ne crois pas, je sais qu'Isabelle va nous aider, Maude et moi, et je peux vous dire une bonne chose, Joshua... elle va être fière de nous autres, de là-haut, je vous le garantis ! »

Il échappa encore quelques larmes, mais cette fois Joshua était tranquille.

« *Merci, Joshua... mission accomplie* » lui murmura Isabelle.

Comme en écho, Éric renchérit :

« Merci, Joshua, pour tout, je ne croyais pas aux anges non plus, maintenant je sais qu'ils existent ! »

Déposant précieusement sa main sur la poitrine d'Éric et l'autre sur la sienne propre, Joshua lui fit un clin d'œil et le bénit silencieusement.

Les deux hommes remontèrent à la chambre sans un mot. Lorsqu'ils arrivèrent au 2-422, la porte était close. Éric, inquiet, courut au poste des infirmières. Maude recevait la visite de la psychologue pour enfants, spécialisée en post-trauma.

« Elles doivent achever. » lui dit-elle.

Au même moment, la porte s'ouvrit. Émilie et Joshua se retrouvèrent face à face... aussi surpris l'un que l'autre !

Lors de leur rencontre, ils avaient très peu élaboré sur leur carrière respective. Lorsque Joshua lui avait demandé ce qu'elle faisait dans la vie, Émilie avait simplement répondu « Je suis psy... » Et Joshua de son côté, sans mentir, mais quand même déformant quelque peu la réalité, lui avait dit qu'il faisait de la musique, qu'il chantait avec un « *band* ».

« Quelle surprise !... mon Dieu, Joshua ! Je ne t'attendais pas, ici... euh !...

– C'est un pur hasard, Émilie... je t'assure ! Je suis ici pour Maude et son père...

– Ah ! quelle affaire ! Tu connais la petite Maude ? Quelle tragédie... mais dis-moi... »

Joshua l'interrompit :

« Tu peux m'attendre quelques minutes... je vais l'embrasser et je reviens. Attends-moi, O.K. ? »

Il entra dans la chambre et retrouva la petite fée telle qu'il l'avait aperçue à son arrivée. L'enfant, épuisée, s'était endormie. Joshua déposa un tendre baiser sur son front et lui murmura doucement :

«Ça va bien aller, mon ange... ta maman veille sur toi ! Et ton papa est un héros... il te protégera toujours... les papas c'est fait pour ça, protéger les enfants ! Je t'aime et je ne t'oublierai jamais ! »

Une dernière accolade avec Éric scella cette « rencontre de guérison ».

« Tiens bon, mon ami, tu as toute mon admiration ! Ne cesse pas de croire en l'amour et d'espérer, O.K.? Et surtout, fais-toi aider. Le plus beau cadeau que tu puisses faire à Isabelle et à Maude, c'est de prendre soin de toi... Promis ? »

Fermant les yeux et serrant les lèvres, d'un léger signe de tête, Éric promit silencieusement à Joshua que... *oui, il prendrait soin de lui.* Tout en le remerciant, il le salua ensuite chaleureusement.

Ainsi, Émilie et Joshua purent s'expliquer et, plus encore, s'émerveiller devant la synchronicité de ces événements et prendre conscience des affinités qui créaient ce champ magnétique entre eux.

Ils avaient enfin leur rendez-vous à Maria... à la différence près qu'il se déroula en 15 minutes, dans une cafétéria d'hôpital plutôt que sur une charmante terrasse !

« Tu es libre vendredi ? Je t'invite ! La vie fait bien les choses, tu sais... ce serait moche de passer à côté de cette deuxième chance... Qu'en penses-tu ?

– Je voudrais te dire oui de façon très détachée, Joshua, mais tu dois bien voir sur mon visage, qui ne sait rien camoufler, que je suis folle de joie ! C'est un gros OUI... Même heure, même poste ?

– Même heure, même poste ! »

Cette fois, Joshua ne pouvait nier l'effet qu'Émilie lui faisait ! Son cœur battait la chamade... il avait dû se retenir pour ne pas l'entraîner dans l'ascenseur et l'embrasser fougueusement. L'image de la belle délinquante qu'il avait connue quelques jours auparavant se transformait maintenant en celle d'une thérapeute, amoureuse de son travail et des enfants qu'elle accompagnait. Il monta dans sa voiture, mit le moteur en marche en se disant que tout revient... *le retour des choses est une loi naturelle et incontournable*, se dit-il !

7

Une visite inattendue

Joshua retourna à la maison de Philippe dans l'intention de passer le reste de son séjour auprès d'Émilie. Au grand désarroi de son impresario, ses engagements n'étaient toujours pas signés pour la prochaine saison, ce qui était tout à fait inhabituel chez lui. Pour la première fois, Joshua remettait sa carrière en question.

Il portait sur ses épaules une énorme pression venant de toute l'équipe à qui il fournissait un travail fort lucratif. Au cours des deux dernières années, le ténor ne ressentait plus cette passion de monter sur scène. Le sentiment d'être au bout du chemin, d'avoir accompli son œuvre musicale l'habitait constamment. Sa seule motivation venait de son souci des autres... il ne se sentait pas capable de « laisser tomber » tous ces gens qui dépendaient de lui en quelque sorte, même si Mathilde lui rappelait constamment qu'il était libre et que chacun avait la responsabilité de sa carrière et de son bonheur.

Il savait cela mais une petite voix culpabilisante le ramenait constamment à son problème de « surresponsabilisation ». Depuis sa tendre enfance, une programmation s'était solidement ancrée dans son inconscient. L'instabilité affective et les dépendances de consommation de

Laurie avaient contribué à le maintenir sur ses gardes. Cette situation lui avait fait croire que, pour survivre, il devait maintenir sa mère en vie et prendre soin d'elle, ne jamais lui faire de peine et tout faire pour la rendre heureuse. Il avait, aussi, grandi entouré de musiciens, de techniciens, d'agents à qui Laurie fournissait du travail. Il se souvenait du jour où elle avait choisi d'arrêter et de partir pour le Canada. Il avait vu des hommes pleurer, des femmes se fâcher contre Laurie, un impresario en détresse ! Joshua revivait maintenant ce schéma et cherchait un moyen d'en sortir sans décevoir ni blesser personne.

La maison de Philippe était située sur une pointe dans la baie de Port-Daniel. Au pied du phare se dressait un gigantesque rocher, surplombant la mer. À cet endroit, vous aviez le sentiment que la mer vous soutenait et que le rocher vous propulsait, comme pour prendre votre envol. C'était comme si le ciel vous ouvrait les bras et vous disait : « allez, saute... je t'attraperai et tu pourras voler toujours plus haut, toujours plus loin... » Les goélands, de leur côté, semblaient vous offrir une leçon de vol plané.

Depuis plus d'une heure, Joshua était perché en lotus au sommet du rocher. Cette longue et douce méditation créait un espace idéal pour recevoir la lumière sur ses questionnements. Une vague énorme vint frapper le rocher... Joshua ouvrit les yeux et contempla le remous à ses pieds. Le soleil s'était glissé derrière un long nuage, et doucement réapparut. Joshua souriait à cette beauté, à la création toute entière. Son corps en faisait partie, son âme reconnaissait sa vraie nature, et son esprit s'ouvrait sur l'infini.

Soudain, il sentit deux mains délicates se poser sur ses épaules. Il crut pour un moment qu'Émilie venait lui faire une surprise... il voulut poser une main par-dessus la sienne, mais il ne sentit rien. Se retournant lentement, il ne vit personne !

« Qui est là ?

– *Bonjour, Petit Roi !* »

La voix venait du large, comme si le vent lui parlait.

« Qui c'est ? »

La voix se manifesta à nouveau et cette fois Joshua la reconnut.

– Maman ? Laurie, c'est toi ?

– Il y a longtemps, n'est-ce pas ? Comme tu es beau, Joshua !

– Maman, je pleure mais je ne suis pas triste, au contraire... je suis si heureux de sentir ta présence, ta voix si douce ! Tu arrives au moment où j'ai tellement besoin de ta Lumière et de ton amour. Mais je ne m'y attendais pas... je ne t'ai pas invoquée, j'ai simplement demandé que la Source m'éclaire... et c'est toi qui te présentes. Quelle surprise !

– Mon amour ne vient-il pas de la Source, mon fils adoré ? Ne sommes-nous pas tous une goutte d'eau provenant de la Source ? Je vois que tu as un nouveau petit livre ! Il est doré, celui-là !

– Oui, mais il est vide ! Le petit livre de Joshua *étant rempli et imprégné dans mon cœur, je l'ai offert à Mathilde. J'ai voulu le partager, tu vois ? Et Mathilde a fait de même... il circule, il accompagne, je crois que c'est sa mission.*

– C'est merveilleux ! Quelle bonne idée ! Et toi, Joshua, as-tu reconnu ta mission ?

– Pas vraiment... j'en suis là et je ne suis plus sûr de rien.

– Prends ton nouveau livre et donne-lui un titre... spontanément, maintenant !

Joshua se sentait excité et si heureux de cette conversation avec l'âme de Laurie. Il se précipita sur son sac, en sortit le livre doré et écrivit sans hésiter « La Lumière de Joshua »

– Hum, c'est un beau titre, mon ange ! Maintenant je te propose de sortir ta plume blanche et d'y inscrire notre premier entretien en tant qu'âmes alliées dans la mission.

Sans un mot Joshua s'exécuta. Une question effleura son esprit par ailleurs : *Comment se fait-il que maman connaisse l'histoire de la plume blanche ?*

Laurie n'eut pour réponse qu'un sourire à cette pensée.

– Nous sommes plusieurs ici à te guider aujourd'hui. Louis est à mes côtés ainsi qu'Isabelle, cette femme que tu as aidée à traverser. Ils assistent et soutiennent en énergie ces enseignements que je m'apprête à te livrer et qui coulent directement de la Source. Alors, parle-moi de cette initiation en tant que passeur d'âmes, Joshua ? Comment l'interprètes-tu à travers les choix que tu te prépares à faire ?

– J'ai reçu cette expérience comme un cadeau. Tu dois bien savoir que j'ai recontacté des blessures profondes et que, pour moi, ce fut libérateur, puisque j'ai enfin compris que je n'avais pas de pouvoir sur ta vie et que j'étais impuissant devant ta mort.

– Comme je suis heureuse que tu réussisses à briser la chaîne des blessures ancestrales. Quelle conscience tu as, Joshua !... je parle maintenant à un homme libre...

– Oh, là ! Disons que je commence à comprendre le processus de guérison, mais je suis loin d'avoir tout intégré. Tu vois, comme en ce moment, si je me laissais aller, je te crierais que je suis en amour*! Mais je mets toujours un bémol sur ces grandes déclarations. Ça veut dire que je ne suis pas encore complètement libre de toute attache. Que j'ai encore des peurs et des blocages !*

– Comme tu t'en demandes beaucoup, mon chéri ! Tu sais, la vie est une scène sur laquelle on répète, on joue, on devient meilleur ! Jusqu'au jour où l'on n'a plus besoin ni envie de répéter ce scénario. On a envie de changer de rôle et de pièce. On en attaque alors une plus difficile encore et on rencontre à nouveau la peur du débutant, le trac et la passion de vivre, à la fois. La peur est aussi une forme d'adrénaline qui nous pousse à avancer, à changer... tu vois ? En autant qu'elle ne nous paralyse pas, elle peut être source de créativité. C'est ça la beauté de la vie, Joshua ! Le but n'est pas d'être parfait... mais bien d'être parfaitement bon envers soi-même et de vivre ce qui est parfait pour nous. Et ce qui était bon pour toi, il y a dix ans, peut ne plus l'être aujourd'hui, et ça ne veut pas dire que tu abandonnes ou que tu lâches. Au contraire, ça prend beaucoup de courage, de confiance en soi et en la vie pour quitter ce que l'on connaît et plonger dans l'inconnu.

Joshua déposa sa plume et relut trois fois, quatre fois même, ce passage si pertinent. Quel réconfort pour lui de savoir qu'il n'avait pas à faire ou à être ce que les autres attendaient de lui, mais qu'il n'avait qu'à *jouer* son rôle. Celui qu'il choisirait !

– Connais-tu ce qui t'attire ici et maintenant, Joshua ?

– Tu veux dire ici, sur le rocher ?

– Oui... ici, maintenant ! Peux-tu identifier la force d'attraction de cet endroit ?

– Eh bien, oui, je crois que c'est le grand large, la puissance des vagues, la force des rochers, les hauteurs, la pureté de l'air !

– Et comment toutes ces forces de la nature te font te *sentir,* toi*?*

– Je me sens libre*! Je sens que tout est là pour moi... que tout est possible !*

– Goûte ce sentiment profond de liberté, mon enfant, et ne retiens que ça pour aujourd'hui ! Laisse cette énergie de vérité remplacer les fausses croyances mentales inscrites dans les cellules de ton corps et de ton esprit. Ton âme connaît sa mission, et plus tu créeras cet espace de liberté à l'intérieur de toi, plus ta mission prendra « forme » dans la matière, dans les meilleures conditions et avec les meilleures personnes.

– Maman, merci ! Que de sagesse et d'amour tu transportes ! Auras-tu de la peine si je quitte ma carrière de chanteur ? C'est tout de même ton héritage et ta continuité que je propage.

– Le talent te vient de ton créateur, mon ange ! Moi, je fais partie d'une lignée de musiciens. C'est le cadeau génétique et tu es libre de t'en servir comme bon te semble. Le besoin d'être reconnue et applaudie m'a quittée en même temps que mon corps, avec l'ego. Cette drogue ne vient pas à bout de nous convaincre que nous sommes aimés, Joshua ! L'amour est un don universel et chaque âme qui s'incarne en est remplie. Si tu ne peux reconnaître que tu es amour, *tu chercheras éperdument et en vain cette essence à l'extérieur de toi. L'amour que tu ressens en toi et que tu donnes te revient multiplié dès lors où tu lui as donné une* vie, *une*

forme. *Que ce soit une œuvre musicale, un livre, un enfant... L'Amour crée tout, Joshua... tout !*

– Je suis sans mot Laurie... je t'aime !

– Je reviendrai... on a encore des choses à se dire. Laisse-toi prendre par la vie, mon amour !

Laurie, ta mère terrestre et ton alliée dans la Mission.

Joshua referma doucement le livre doré et le déposa dans son sac, le manipulant comme s'il était de porcelaine. Il ressentait déjà dans ces quelques pages les forces de la nature unifiant et solidifiant chaque mot. L'air, l'eau, la terre et le feu fusionnaient dans un ciel maintenant tout bleu. Le temps était venu pour lui de laisser circuler tous ces éléments dans son corps et son esprit. Un mot clé du message de Laurie remonta à son esprit et lui plut particulièrement : *« jouer »* !

Joshua comptait maintenant les heures et les minutes qui le rapprochaient de ce rendez-vous tant attendu avec la belle Émilie.

8

La deuxième chance

Cette fois, la route fut tranquille et rien ne retardait Joshua à son rendez-vous. Il arriva même le premier, Émilie s'étant fait espérer quelques minutes. Il faisait beau et doux, le vent était tombé et le soleil descendait lentement derrière la Marina. Joshua avait pris soin de réserver une table pour deux, dans un coin de la terrasse où ils pourraient échanger dans la plus grande intimité.

Les fous rires et l'agitation les faisaient ressembler à deux enfants. Émilie voulait tout dire en même temps, elle bafouillait, Joshua tentait de l'aider mais le résultat était tout opposé...

« Tchin'Tchin ! proposa Joshua

– Tchin'Tchin ! À cette belle soirée... merci à toi ! »

Joshua lui répondit d'un sourire sincère et chaleureux.

« Maintenant, dis-moi ce que tu fais vraiment dans la vie... et n'invente rien, car j'ai fait une petite recherche sur Internet et j'ai trouvé de quoi me renverser sur ton compte.

– Ah ! C'est pas vrai... je suis démasqué alors ! »

Ils éclatèrent de rire...

– Je me suis sentie un peu nulle, je t'avoue ! Avec toute cette popularité, j'aurais dû savoir qui tu es ! Mais c'est vrai qu'ici, en Gaspésie, on est toujours en retard... »

Il l'interrompit :

« Ne sous-estime pas votre culture, Émilie. C'est une simple question de distribution. Je donne des concerts surtout en Europe et aux États-Unis. Même si j'ai grandi à Montréal, mes professeurs et mes agents demeurent aux États-Unis. Je suis né là-bas et ma mère a fait carrière surtout dans ce pays, alors voilà...

– Parle-moi de ta mère, justement... elle était chanteuse ?

– Laurie Brown, tu connais ?

– C'est pas vrai ? Laurie Brown... la chanteuse rock de l'époque de mes parents ?... Mais raconte, Joshua... je veux connaître ton parcours ! Quelle vie trépidante tu as dû connaître à travers ce monde d'artistes gigantesques !

– Hum... on risque de passer la nuit ici, tu sais !

– Vas-y... j'ai tout mon temps... raconte !

– Eh bien comme je te disais, je suis né aux États-Unis, et ma famille, c'était ma mère et ses cinq musiciens. Du plus loin que je me souvienne, nous avons vécu en nomades, voyageant d'une ville à l'autre, d'un spectacle à l'autre... j'adorais cette vie ! Je n'avais pas d'amis par contre, j'étais le seul enfant de la troupe et j'ai reçu l'attention et l'amour de tous ces artistes qui m'adoraient. Ça compensait pour le père que je n'avais pas connu, tu vois ? »

Et Joshua poursuivit son récit à partir de la mort tragique de Laurie, en passant par les messages qu'il reçut d'elle tout petit, et jusqu'alors. Émilie écoutait religieusement cette histoire fascinante du *petit livre de Joshua*, tantôt émerveillée, tantôt bouleversée par ces manifestations et ces phénomènes paranormaux. S'efforçant de ne pas laisser paraître son scepticisme, Émilie sentait les idées se bousculer dans son esprit. Dans les vibrations du moment, Joshua perçut que le récit de son voyage hors de son corps, la rencontre avec les «DOUZE» Guides de Lumière, ainsi que les enseignements qu'il en ramena, ne passeraient pas... qu'il perdrait la connexion avec Émilie. C'est ainsi qu'il s'arrêta au chapitre de « L'initiation ». La jeune femme tentait ardemment de faire mine de tout assimiler, malheureusement le langage de son corps la trahissait. *Elle n'y croit pas...* se dit Joshua. Sournoisement, un malaise s'installa entre eux. Joshua s'empressa de dissiper cet inconfort en poursuivant sur une note plus terre à terre...

« Et puis, eh bien voilà ! Mathilde a trouvé l'homme de sa vie et moi j'en suis là... tu l'aimeras, Mathilde ! Elle est vraiment *cool* et très généreuse... tenta-t-il, pour vérifier si l'intérêt d'Émilie avait survécu à son récit plutôt *« flyé »* !

– J'ai très hâte de rencontrer toutes ces belles personnes, Joshua ! Et ta mère, je veux dire Laurie... c'est comme si je la connaissais, c'est étrange. Je me sens très près d'elle. Et tu sais quoi ? Quand j'étais petite, je m'amusais à regarder les pochettes de disques en vinyle de ma mère, et je me souviens du microsillon de Laurie Brown. Je la trouvais tellement belle !

– Ah, intéressant ! Tu as un peu de sa fougue... tu me rappelles beaucoup ma mère ! »

Émilie souriait timidement. Elle se demandait si elle devait se réjouir de cette remarque.

De son côté, Joshua sentait qu'il venait de reprendre les rênes. *Restons bien sur terre,* se dit-il. *Le terrain est trop glissant dans l'autre sens.* Joshua fit vite de comprendre que l'énergie d'Émilie était à 80 % yang... lui qui était à 80 % yin ! Il faudrait s'apprivoiser, mais il demeurait clair pour lui qu'il ne deviendrait pas quelqu'un d'autre pour être aimé. L'amour auquel il aspirait ne comporterait ni dépendance ni faux-semblants. Le temps et la découverte de l'autre lui en diraient plus long sur le potentiel d'une relation à long terme. Mais ce soir-là, Joshua voulait simplement goûter le moment présent et laisser agir la force d'attraction.

À son tour, il voulut connaître l'histoire d'Émilie. Elle se raconta avec prudence. Les souvenirs de son enfance teintés d'amour et de joie firent monter ce sentiment de honte que Joshua éprouvait souvent à la pensée de son enfance dramatique.

Cadette et seule fille d'une famille de trois enfants, elle jouissait d'une grande popularité à l'école, en plus d'être douée en classe. Ses parents, tous deux professionnels, assuraient une stabilité et un soutien affectif à leurs enfants. Sa mère enseignante, son père dentiste, deux grands frères pour la protéger... une famille parfaite, quoi !

Cependant, le château d'Émilie devait s'écrouler à l'adolescence.

« C'était au printemps de mes 12 ans et maman était venue me chercher à l'école, ce qui était plutôt inhabituel. Je la trouvais très pâle et tremblante, mais j'avais tellement peur de ce qu'elle allait m'annoncer que je n'osais même pas la regarder. Immanquablement elle me dit : "*Emi... papa et moi on va se séparer !*" Je croyais rêver ! Je n'avais tellement rien vu venir et tu vois, jusque-là, je m'étais trouvée si chanceuse, car j'étais une des rares filles de mon groupe d'amies dont les parents n'étaient pas divorcés. Je *capotais* ! La gorge nouée, je sentis une colère explosive monter en moi. Pourquoi ils faisaient ça ? Ils avaient l'air si bien ensemble. Ou, pourquoi nous ont-ils monté un bateau en nous faisant croire que tout était parfait ? Non, mais vraiment... j'étais tellement en colère, et ce n'est rien comparativement à l'intensité de la peine qui a suivi ! »

Elle s'enfila une gorgée de vin et continua :

« Tu vois, j'adorais mon père. J'étais comme on dit « la petite fille à papa ». Mais le jour où j'ai appris la cause de la séparation, je lui en ai voulu jusqu'à... eh bien, jusqu'à cette année ! Il avait une maîtresse depuis trois ans et il est parti avec elle. Son assistante ! Et le pire, c'est qu'elle n'avait que 23 ans, et mon père 38 ! Tu imagines la détresse de ma mère ? Comme toi, j'ai longtemps cru que j'avais la responsabilité de maintenir ma mère en vie, tu vois ? *Émilie, le sauveur de maman !* Ouf ! Que j'ai porté sa croix longtemps, en plus de nourrir sa "victimite" ! Ma mère répétait à qui voulait l'entendre : "*je ne m'en remettrai jamais... je ne lui pardonnerai jamais... je ne ferai plus jamais confiance à un homme*" et elle terminait par la phrase qui m'assommait à tout coup... "*une chance que j'ai ma petite Émilie qui s'occupe de moi !*" Je me sentais si petite et si impuissante mais, dès qu'elle disait cette phrase, c'était comme si soudainement je devenais sa mère et que j'avais la certitude que cette responsabilité m'appartenait. Au fond de mon cœur, la haine et l'amour que j'avais pour mon père cohabitaient silencieusement. Un deuil profond et non résolu devrait un jour refaire surface. Le jour où j'ai réalisé que ça ne marchait jamais avec les gars, parce que tu t'en doutes... je les attirais tous, les tricheurs et les menteurs, eh bien j'ai décidé de faire une thérapie et d'aller mettre des mots sur mes émotions, mes peurs et mes colères, mais surtout les exprimer et les évacuer ! »

Elle fit une pause. *Devrais-je m'arrêter ici ? Il va peut-être prendre ses jambes à son cou si je continue... Pis merde ! Je plonge ! Autant le voir partir maintenant que dans six mois... ça va faire moins mal !* Relevant la tête, elle reçut le regard invitant de Joshua l'encourageant à poursuivre :

« Je n'avais pas parlé à mon père depuis 15 ans, tu imagines ? Je lui en voulais tellement ! Niant le mal que je gardais bien caché au fond de moi, je disais haut et fort que c'était pour la peine qu'il avait fait à ma mère que je lui en voulais ! Je me privais de son amour pour le punir, et c'est moi que je punissais. J'ai vécu toutes ces années, fusionnée à l'énergie de ma mère pour survivre. En thérapie, j'ai réussi à ouvrir la porte du garde-robe et à apprivoiser la petite Émilie de 12 ans. Je lui ai tendu la main en lui promettant que je ne la laisserais plus jamais tomber. J'ai dû la supplier, tu vois, parce qu'à moi non plus elle ne faisait pas confiance. La petite s'était juré de ne plus jamais faire confiance aux adultes ! C'est le plus beau cadeau que je me suis offert dans ma vie. Je ne te dirai pas que tout est guéri, mais j'ai fait un grand bout de chemin et je crois encore à l'amour... et ça, c'est ma plus grande victoire ! As-tu envie de te sauver, Joshua ? »

Joshua se contenta de hocher la tête pour l'assurer qu'au contraire, il voulait l'écouter encore, écouter son âme lui raconter ses blessures, ses victoires et ses rêves !

« On se ressemble tellement, si tu savais... continue ! »

Mais, à l'encontre de Joshua, la jeune femme sentit le besoin d'alléger la conversation. La suite risquait d'alourdir le ton de cette première rencontre et de provoquer une confrontation. Émilie en avait épais sur le cœur face à la mort !

« Et si on parlait de nous, à l'heure qu'il est ! Qu'est-ce qui te fait *tripper* ? Ta carrière ? Tes projets ? Dis-moi... »

C'est au chapitre des enfants qu'ils découvrirent le lien spirituel qui les unissait dans cette vie. Joshua confia à Émilie ce qu'il avait ressenti lorsqu'il était entré à l'étage des enfants malades cet après-midi-là. Le seul fait d'évoquer à nouveau ce passage faisait monter des larmes dans ses yeux remplis de compassion.

« Je t'envie, Émilie, de pouvoir être si près d'eux et de soigner leurs blessures intérieures ! Tu es comme une magicienne qui répare le cœur des enfants. Quelle belle mission !... À la mort de ma mère, j'ai eu une merveilleuse thérapeute, Sylvia. Je l'appelais comme ça : *"La dame qui répare les cœurs d'enfants."* Je ne sais pas comment je m'en serais sorti sans son aide et son amour surtout. Mathilde, Louis et Sylvia ont été mes trois anges de guérison. Ma famille spirituelle. On a tous besoin d'une famille d'âmes dans cette vie... crois-tu ? »

Le ton de ces échanges rassura Émilie. Ce discours de Joshua lui fit oublier l'image de « l'extraterrestre » qui l'avait quelque peu terrorisée plus tôt. *Il est humain*, pensa-t-elle.

« On pourrait en parler toute la nuit, reprit Émilie... il y a tellement de magie dans le cœur des enfants. Je les aime tellement. Maude me fait craquer...

– Ah ! Moi aussi... renchérit Joshua. Je te jure, je me demandais si je n'étais pas en train de tomber amoureux d'elle cet après-midi-là !

– Alors là... je suis un peu jalouse ! » se surprit-elle à lancer...

Repoussant tout ce qui sur la table pouvait obstruer la rencontre de leurs mains, Joshua prit celles d'Émilie dans les siennes et les embrassa tendrement. Leurs yeux se parlaient, empreints d'espoir et de joie.

Enfin, au grand bonheur de Laurie qui assistait discrètement, de l'au-delà, à leur rencontre, ces deux êtres lumineux s'ouvraient au jeu de la vie, à la magie de l'amour.

Cette nuit-là, ils s'aimèrent passionnément jusqu'au lever du jour. En guise de salut au soleil, les amoureux fragiles s'enlacèrent, nus devant la mer sur la cime du rocher, goûtant simplement l'exquise saveur du moment présent.

9

Les manifestations de l'âme

Pour ce qui restait des vacances de Joshua, les amants passèrent le plus clair de leur temps ensemble. Sans trop chercher à comprendre s'il s'agissait d'un coup de foudre ou d'un élan de passion, il savaient une chose... c'était bon, ils étaient bien ! Joshua, qui avait l'habitude de tout analyser, tout peser, tout compliquer, s'était félicité sur le chemin du retour d'avoir réussi à savourer chaque instant et s'abandonner à la vie. Ses défenses s'effondraient chaque fois qu'Émilie lui ouvrait les bras et l'invitait, de son sourire irrésistible, à faire l'amour. À tout coup, son charme et sa beauté triomphaient.

Bien que Joshua n'eût guère partagé son lit avec des dizaines de filles dans le passé, l'érotisme tout comme la musique semblait être un art inné dans sa vie. Son corps musclé et ses traits découpés troublaient Émilie, qu'il savait amener au septième ciel tant qu'elle le souhaitait !

Dix heures de route conduisirent Joshua à sa résidence de Saint-Sauveur. Allongé sur son lit, fixant le haut plafond cathédrale, il se sentit tout à coup pris d'un immense vertige. Comme s'il venait juste de réaliser que, durant tout ce temps passé auprès d'Émilie, il s'amusait à danser dans la pénombre sur le bord d'une falaise ! Jamais depuis la mort de Laurie, Joshua n'avait éprouvé le vide de l'absence, l'ennui insupportable de l'être aimé. Inconsciemment, il avait refusé tout engagement dans sa vie, de peur de ressentir cette brûlure vive dans le ventre.

Son premier réflexe, décrocher le téléphone pour entendre sa voix. Il raccrocha aussitôt...

« Non, ça ne changera rien ! Je suis amoureux... ça y est, je suis tombé dans le piège de l'amour ! »... cria-t-il au plafond de sa vaste demeure.

Il repassa alors tout le film de ces 16 jours d'euphorie partagés avec cette fille si attachante. Leurs échanges autant physiques que philosophiques lui ramenaient des souvenirs intenses, riches de sentiments et d'émotions. Seul le domaine spirituel était demeuré inexploité... *trop tôt, trop délicat à ce stade-ci*, se dit-il.

Bien sûr, il fut entendu qu'ils entretiendraient cette relation à distance. Les courriels se croisaient jour et nuit, en plus du téléphone quotidien essentiel pour commencer leur journée. C'est à travers ces échanges qu'ils arrivèrent à trouver le courage de se dire les vraies choses, d'affronter leurs différences. Toute une gymnastique pour deux êtres en quête d'amour, et affolés à l'idée d'une relation sans issue !

Fidèle à son authenticité, Joshua ne renierait ni sa foi, ni ses expériences pour plaire à Émilie. De son côté, la belle Gaspésienne ne possédait aucun talent pour la comédie, en plus d'avoir peu d'inhibition. La cellule familiale lui ayant explosé en plein visage, la jeune femme retenait une croyance bien ancrée dans l'inconscient : *« Tomber en amour, ça peut tout détruire... regarde ton père, Émilie, pour une histoire de passion, il a tout brisé ! »* Cette phrase, elle l'avait entendue des centaines de fois.

Au cours d'une correspondance, ils en arrivèrent au sujet des communications spirituelles. Cette lettre d'Émilie, contrairement aux autres, transportait une énergie de froideur voire même de sarcasme ! Joshua relisait, inquiet, ce passage...

Hier soir je n'ai pas réussi à m'endormir avant 3h00 du matin ! Une question m'intrigue, Joshua ! Comment peux-tu être certain que c'est bien ta mère qui t'écrivait ces lettres et pourquoi reçois-tu, toi, ces messages, et pas moi? Ce « don », s'il s'avère vraiment un « don », pourquoi n'en fais-tu pas profiter à d'autres gens?

Je ne remets pas en doute ton honnêteté, mais avoue que c'est « gros », toute cette affaire! Je ne peux pas te cacher que je suis sceptique. Pour tout te dire, je ne crois pas en une vie après la mort, ni en un Dieu qui nous attend les bras ouverts de l'autre côté. Je crois qu'après, eh ben voilà, c'est terminé, c'est le néant... pour moi, c'est ça la mort, tu vois?

C'est triste à dire, mais je crois que tu t'es fabriqué ces contacts pour ne pas mourir de chagrin. Un monde fantastique qui te permet de survivre à l'abandon de ta mère. Je ne te juge pas, Joshua, en te disant ça mais, tu vois, je ne suis pas capable de faire semblant. Ma formation en tant que psychologue ainsi que ma pratique auprès des enfants me demandent beaucoup de rigueur pour les accompagner dans la sortie de l'état de choc et dans leur deuil. Il faut savoir quand est-ce qu'ils fabulent et quand est-ce qu'ils sont capables d'affronter la réalité... c'est à ce moment-là qu'on peut mieux les aider à se faire des forces et se battre dans la vie.

Tu vois, moi, ça m'a pris 16 ans à accepter que mon père m'ait abandonnée!

Avant ça, j'ai préféré me faire croire que c'était moi qui le laissais tomber, ça faisait moins mal. Mais la vérité, c'est que je n'avais pas la force de vivre ce rejet. Maintenant, il me reste à lui pardonner et je ne sais pas comment faire. Au moins s'il était mort, je pourrais me faire croire qu'il veille sur moi et qu'il m'aime toujours!

Cette dernière phrase attaquait Joshua dans son intégrité. Les yeux embués, il relisait sans cesse, ressentant toute la blessure qui saignait du cœur d'Émilie. Au-delà de son scepticisme et de sa colère, Joshua percevait quelque chose d'autre dans le ton du message de la jeune femme. Quelque chose d'encore plus déchirant que le départ de son père. Sa confiance en l'amour de l'au-delà et sa foi inébranlable lui permettaient de s'élever au dessus de l'ego. Les allusions d'Émilie ne le blessaient pas... il entendait surtout un appel au secours. Inconsciemment, elle cherchait à provoquer une confrontation qui lui permettrait enfin de crier son mal à l'âme ! Et tout ça avait un lien avec la mort, Joshua en était persuadé... mais la mort de qui ?

Il attendit au lendemain pour lui répondre, et sa réponse allait être brève. Joshua ne chercherait pas à se justifier ni à prouver quoi que soit.

Ma belle Gaspésienne,
Tendre Émilie,

*Je veux que tu saches que tu es libre de croire ce que tu veux et que je ne t'en tiendrais pas rigueur, même si tu me disais que tu ne crois pas à mon histoire. À mon sens, il ne s'agit pas de croyances mais plutôt de connaissances. Les messages de ma mère m'ont servi à grandir et à évoluer. Pour moi, c'est plus important encore que la survie. Aujourd'hui, je sais que la forme disparaît mais que l'essence vit éternellement. Selon cette philosophie, je crois que l'amour ne meurt pas et que ton père ne t'a pas abandonnée et qu'il t'a toujours aimée. Probablement dans le silence et les remords... mais je suis convaincu qu'il pense à toi chaque jour depuis toutes ces années. C'est que, vois-tu, nos parents n'ont pas appris à dire « je t'aime, j'ai peur, je m'excuse, pardonne-moi ! » Je crois que c'est l'*incommunication *qui brise les relations.*

Mais bon, de quoi je me mêle, hein ? Ce que je souhaite que tu retiennes de ce message, c'est, que, si tu as besoin de moi, je serai là pour toi. De près ou de loin, tu as un nid dans mon cœur et tu pourras toujours venir t'y blottir. N'aie pas peur de la fin des choses, Émilie, car rien n'est permanent sur cette terre. Et lorsqu'on a peur de la fin, c'est déjà fini !

Je te dis tout ça... mais si tu savais comme j'ai peur de te perdre ! J'attendrai que tu m'écrives ou que tu me téléphones. Prends le temps qu'il te faut... je t'attendrai.

Joshua XXX

Émilie ne pleurait pas en lisant le message de Joshua, elle fulminait ! Tout ça était trop beau pour être vrai. Ce discours contrariait tout ce qu'elle avait emmagasiné dans son subconscient depuis le départ de son père. Cette liberté de penser et cet amour inconditionnel que lui offrait Joshua la terrorisaient. Devait-elle remettre en question l'intégrité de sa mère ? L'influence de sa mère l'avait-elle tenue à l'écart de son père ? Prendrait-elle le risque de lui manifester sa colère ?... et si c'était vrai que son père n'avait jamais oublié sa petite fille adorée ?

Rendue au bout de sa crise, Émilie s'effondra en larmes. Un autre chagrin plus vif et plus grand encore venait secouer son corps... jamais Émilie ne s'était permis de toucher cette blessure si profonde. Elle aidait les enfants à sortir du post-trauma, tandis qu'elle-même ne s'était jamais remise de ce terrible choc !

« Mathieu ! aide-moi, Mimoun ! Je ne sais plus... est-ce que c'est vrai tout ce qu'il dit, Joshua ? Pourquoi tu ne m'as-tu jamais donné signe de vie, toi alors ? »

Émilie pleura son grand frère toute la nuit. Quatre ans plus tôt, à la même date, elle s'était trouvée paralysée devant le corps de Mathieu, qui se balançait au bout d'une corde accrochée au plafond du sous-sol. Le morceau manquant à la compréhension de Joshua viendrait bientôt se mettre en place, mais pas maintenant. Tous ces hasards, ces sujets tabous maintenant déterrés, ces blessures encore saignantes... c'en était trop pour la jeune femme.

« Pourquoi ? Pourquoi lui ? Je n'aurais pas pu tomber sur un gars ordinaire, qui ne cherche pas à déterrer les morts ? C'est quoi cette affaire-là ? »

Émilie tentait de toutes ses forces de résister à l'ouverture de sa conscience, qui de toute évidence était prête à forcer la porte, sans quoi son corps lui lancerait quelques messages ! Mais la bataille n'était pas gagnée d'avance pour l'âme. Son ego musclé montait la garde sans relâche. Le seul endroit où Émilie ne lui donnait pas de pouvoir, c'était auprès des enfants. Dans ce territoire, la jeune thérapeute œuvrait avec son cœur, se permettant d'être entièrement elle-même. Sans défensive ni méfiance ! Ce royaume lui appartenait et elle savait qu'elle pouvait faire confiance aux enfants. Elle travaillait à gagner la leur avec succès. Les enfants l'adoraient !

Le lendemain matin, elle ouvrit les yeux, qu'elle venait à peine de fermer, se leva, ouvrit le robinet de la baignoire et s'y glissa lentement. Son corps tendu eut peine à se mouler au bain, tandis que sa tête menaçait d'éclater. Les poings serrés sur sa poitrine gonflée, Émilie ne se doutait pas de ce qui se tramait en elle. Tout à coup, son rythme respiratoire s'accéléra et le flot de larmes se déversa sur son visage inquiet. Sans crier gare, son âme basculait. La jeune femme nageait dans un espace totalement inconnu. Sa résistance ne tiendrait pas le coup... pour survivre, elle devrait craquer ! Pour ne pas étouffer, elle devrait laisser les sanglots secouer tout son corps. Émilie ne comprenait pas ce qui déclenchait une telle détresse. Elle ne pensait ni à son frère, ni à Joshua... rien ne pouvait justifier cette descente aux enfers ! Pourtant, il s'agissait bien d'une ascension pour son âme, une rédemption par la Source. Seul l'ego se retrouvait en chute libre.

Lorsque, graduellement, sa respiration redevint normale et que l'épuisement fit tomber toute forme de résistance, une paix indicible se nicha au fond de son cœur. Comme si chacun de ses gestes était guidé, Émilie étira le bras pour attraper le miroir près de la baignoire. Le regard figé dans son reflet, elle scrutait le fond de ses yeux comme pour voir son âme. Ce rituel s'effectua sans qu'elle en fut avertie ni consciente. Comme si une main lui avait présenté la glace pour demander : *« Y a-t-il quelqu'un ? Qui est là, au fond de ce corps ? »*

Plus elle creusait, plus la lumière irradiait de ses grands yeux verts. Doucement, des larmes d'émerveillement brouillèrent sa vue, et elle entendit dans son cœur une petite voix que ses lèvres portèrent à ses oreilles. Elle s'entendit se dire : *« Je t'aime mon ange, je t'aime... c'est moi, ton âme ! Nous avons réussi, Émilie, pour une première fois nous avons transcendé l'ego. »*

Toute peur disparut. Les tensions cédaient la place à un relâchement total, dans l'espoir que cet instant s'éternise. Pour la première fois de sa vie, elle avait la certitude qu'elle ne serait plus jamais seule, car elle était avec *Elle*. Tout son être était empreint de sérénité et de sagesse.

Ce processus de renaissance fut divinement guidé par les « DOUZE » Guides de Lumière. Émilie n'en savait rien ! Sans avoir jamais lu sur ces sujets, sans avoir pratiqué ni méditation, ni alignements énergétiques, ni canalisation, ni technique de *rebirth*, l'âme d'Émilie réussit tout de même à s'infiltrer dans son cœur. Loin d'essayer de comprendre ce qui lui arrivait, elle goûtait cet état de grâce, ce moment de paix intérieure, jusqu'ici inconnu. Le travail s'opérait dans l'énergie des corps subtils et dans l'éveil de la conscience. Il serait par la suite impossible pour Émilie d'évoquer, encore moins de raconter, ce qu'elle avait vécu ce matin-là. Tout ce qu'elle savait, c'est qu'elle ne serait plus jamais la même et qu'une guérison profonde venait de s'opérer.

À l'autre bout du Québec, Joshua, assis en position de lotus devant le lac, saluait le soleil. Sa pratique quotidienne de yoga était devenue essentielle à son bien-être, surtout dans les périodes de transition intenses comme celle qu'il vivait en ce moment.

Le jeune amoureux, démuni devant le conflit intérieur d'Émilie, ne trouva qu'un moyen de lui faire parvenir son amour. Il chanta pour elle de tout son cœur *« Je serai là pour toi ! »* Chaque fois que Joshua chantait ces paroles, un sentiment profond de lâcher-prise et de détachement l'apaisait. Dans le sable, sur la petite plage devant son lac, il inscrivit « Émilie ». Levant les yeux vers le ciel, il invoqua les dieux de l'amour en prononçant ces mots : *« Si elle est pour moi elle me reviendra... sinon, que le meilleur soit pour nous deux ! »*

La sagesse et la maturité de Joshua l'empêchait parfois de vivre ce dont un jeune homme de 27 ans a spontanément besoin. À certains moments, il sentait cette dualité intérieure, comme si son âme se trouvait à côté de son corps ; il percevait que ses comportements et ses choix ne correspondaient pas avec sa pensée profonde. Depuis sa tendre enfance, il s'était senti marginal et, en même temps, ce désir de vivre sa jeunesse et ses folies persistait. Il avait souvent l'impression qu'il ne s'était pas incarné sur la bonne planète ou à la bonne époque. Cette vie, il l'honorait. Mais quelque chose sur cette terre clochait. *Notre humanité souffre*, se disait-il... *la terre souffre ! Qu'est-ce que je peux faire ?* Ces tiraillements devenaient parfois insupportables.

Un jour, Sylvia lui avait dit : « Prends-toi par la main, Joshua, et ne t'en demande pas tant ! Accueille toutes les parties de toi, celles d'ombre et de lumière, et *vis ta vie* ! » C'est en répétant ces trois derniers mots comme un mantra qu'il sortit, paisible, de sa réflexion.

Se relevant, il tendit l'oreille, croyant avoir entendu la sonnerie du téléphone. Toute la journée et le lendemain et le surlendemain, il continuerait d'attendre cette satanée sonnerie, qui resterait muette pendant des jours.

Ce n'est que deux semaines plus tard qu'Émilie se décida d'écrire un message à Joshua. Cette initiation l'avait complètement déstabilisée. Elle ne savait plus où donner de la tête... et le mental avait une fois de plus repris les rênes. Cette renaissance spontanée élevait immanquablement le taux vibratoire sans toutefois transformer la personnalité instantanément. Émilie sentait le besoin de reprendre le contrôle sur sa vie et d'en finir avec cette relation qui provoquait beaucoup trop de remous.

Cher Joshua,

Tu excuseras mon silence et la distance dont j'ai eu besoin pour analyser notre relation.

Je crois que nous ne sommes pas du tout sur la même longueur d'ondes, malgré ces jours merveilleux que nous avons passés ensemble. Du plus profond de mon cœur, j'aurais espéré que cette relation fonctionne mais, vois-tu, je me sens incapable de comprendre ton langage et ton cheminement.

Merci pour ces moments merveilleux que tu m'as fait vivre et merci aussi pour ton authenticité et ton respect de qui je suis. Je te souhaite de trouver la femme qui saura t'accueillir et te comprendre, et je me souhaite aussi la réciproque. Je veux juste te dire, avant de mettre fin à cette relation, que tu as remué de très grandes émotions en moi et que je ne sais tout simplement plus comment gérer tout ça ! Donc je choisis de refermer cette porte sur le passé et aller de l'avant avec ma vie.

Bonne route, Joshua, tu mérites tellement mieux qu'une femme comme moi qui n'a pas le courage d'aller au fond d'elle-même.

Je garderai éternellement un doux souvenir de notre rencontre.

Sois heureux et prends bien soin de toi,

Émilie XXX

Ce n'est pas sans quelques larmes qu'Émilie cliqua sur « envoyer » ! Son cœur se gonflait, ses yeux s'embuaient, tandis qu'elle s'empressait de passer à autre chose et de chasser toute cette histoire de son esprit.

En apercevant le signal *« Vous avez un nouveau message »* à son écran, le visage du petit roi s'illumina. Mais il devait vite s'assombrir lorsqu'il prit connaissance de cette déclaration d'adieu. Le cœur déchiré, il relut la missive maintes fois sans pouvoir s'arrêter de pleurer. Il croyait vraiment que cette rencontre était celle de l'âme sœur, mais ce message venait le contredire. Il devrait aller sa route et poursuivre sa quête. Pour l'instant, il ne voulait pas penser à l'avenir, ni même à demain. Il choisit de vivre ce moment de tristesse aussi intensément qu'il avait vécu les moments de bonheur et de joie. Pour une fois, Joshua, l'homme, ne serait pas si sage. Il prendrait tout le temps de vivre sa peine.

10

Des retrouvailles inespérées

Isolé depuis presque 10 jours, Joshua se sentait dans un cul-de-sac. Ayant cru bon de couper tout contact avec l'extérieur afin de se retrouver, il avait débranché le téléphone et éteint l'ordinateur. Seule Mathilde avait eu droit à un message l'informant de cette retraite fermée. « S'il y avait une urgence, laisse-moi un message sur mon portable, je vérifierai de temps à autre » lui avait-il écrit.

Ses journées commençaient par la séance matinale de yoga. Pour le reste, il vivait le moment présent, tantôt en marchant 20 km, tantôt en écrivant dans son livre de Lumière. Ce temps d'arrêt lui permettait de ressentir cette immense fatigue physique et émotionnelle. Il dormait en plein jour sans se soucier du nombre d'heures et passait des nuits debout à méditer, écrire et chanter – créant à chaque instant l'espace idéal pour se reconnecter à la Source.

Ce soir-là, après avoir savouré un succulent poisson accompagné de légumes frais, le jeune homme s'installa devant un feu de camp, face au lac scintillant sous les reflets de la pleine lune. Emmitouflé dans une couverture de laine, Joshua fixait les flammes, ne pensant à rien de précis, il se laissait bercer par leur danse et la douce chaleur du feu.

Soudain, une lumière plus intense éclaira les arbres et une partie du lac. Joshua se tourna, inquiet ! Aveuglé par les phares d'un véhicule qui s'engageait dans son entrée, il se demanda tout à coup si quelque chose de grave avait pu arriver à Mathilde et Philippe qui se trouvaient dans les airs à cette heure-là. Avançant prudemment vers la voiture, il fut soulagé de constater qu'elle n'était pas coiffée de gyrophares. Cherchant à reconnaître son propriétaire, il demanda :

« Qui est là ? Est-ce que je peux vous aider ? »

La portière se referma derrière une silhouette féminine, que Joshua n'arrivait pas encore à identifier. Très peu de gens connaissaient l'adresse de l'artiste. Pendant quelques secondes, il pensa à Émilie. Mais la forme qui avançait vers lui ne ressemblait pas à la Gaspésienne.

« Je cherche Joshua Brown... suis-je au bon endroit ?

– C'est moi, oui ! et qui êtes-vous ? demanda-t-il, maintenant à quelques mètres de la femme.

– Ah mon Dieu ! Joshua c'est bien toi, c'est bien ici ! et elle sourit de son sourire unique ! La blancheur de ses dents avait toujours fasciné le petit garçon de neuf ans.

– Sylvia ! Sylvia... je rêve ? Lui ouvrant grand les bras, il l'attrapa et la souleva de terre.

– Je te dérange ? Excuse ma visite improvisée, mais j'ai essayé de te téléphoner depuis deux jours. Je suis en vacances... »

Joshua s'empressa de l'interrompre :

« Quelle merveilleuse surprise ! Tu ne peux pas te douter à quel point tu tombes pile ! Laisse-moi te regarder... je n'en reviens pas ! Je sais que je t'avais déjà écrit un petit mot pour t'inviter à St-Sauveur, mais jamais je n'aurais cru que tu viendrais ! Ah, *Wow* ! »

La dame qui répare les cœurs d'enfants se trouvait bien là devant lui, souriante et si heureuse de le revoir. Tendrement, elle prit le visage de son petit patient et le regarda droit dans les yeux. Soutenant son sourire magique, elle lui dit :

« Ah, que tu es beau ! Cette maturité cohabite parfaitement avec le petit Joshua que j'ai connu. D'ailleurs, à 9 ans, on pouvait déjà voir cette sagesse en toi. Ah ! que j'ai bien fait d'écouter ma petite voix et de prendre une chance que tu sois là ! »

Sans un mot, il la prit par la main et l'entraîna vers la maison.

« Viens, entre... attends-moi une petite minute ! »

Il grimpa les marches de l'escalier deux par deux. Sylvia s'avança discrètement vers le salon, promenant son regard sur le décor de sa maison. Tout lui ressemblait ! Les peintures, les sculptures, les fauteuils, le foyer. De chaque objet émanait sa chaleur et son charisme.

Son cœur se serra lorsqu'elle vit sur le manteau du foyer une photo de Mathilde, Joshua et elle-même. Ce souvenir du jour de la dernière consultation de Joshua la ramena si loin en arrière. Ce jour-là, elle avait sagement attendu qu'ils soient partis pour laisser couler ses larmes. Sylvia, qui prenait bien garde de s'attacher à ses patients, se trouva prise au piège cette fois. Le passage de Joshua dans sa vie professionnelle et personnelle l'avait amenée plus loin dans sa mission. Après lui, plus rien ne serait pareil pour cette thérapeute chevronnée. Son approche se transformerait et ses enseignements prendraient une autre dimension.

Lorsqu'il la rejoignit au salon, une couverture sous le bras, Sylvia balayait la photo d'un regard nostalgique. Joshua, l'enveloppant de la chaude laine, hocha la tête pour lui dire « viens avec moi ! » Passant par la cuisine, il retira une bonne bouteille de son cellier...

«Ça te va ?

– Bien sûr ! »

Tout en versant le vin, il la regardait en souriant, ému, ayant encore peine à y croire.

L'accueil de Joshua la toucha profondément sans pour autant la surprendre. Ils ne s'étaient plus revus depuis cette dernière consultation ; par contre, chaque année à Noël, ils se téléphonaient pour échanger des nouvelles. Sylvia suivait sa carrière de très près. Lorsqu'elle parlait de Joshua, elle le qualifiait d'*être d'exception*. De son côté, Joshua n'oublierait jamais tout ce qu'elle avait fait pour lui, toute la Lumière et l'inspiration qu'elle lui avait apportées dans ses nombreux passages difficiles et aussi dans ses phases de gloire. Accueillir le succès, pour le ténor, s'avérait parfois aussi difficile que d'accepter l'échec. Sylvia possédait une capacité de propulser les gens vers la réussite, de percevoir l'âme et tout son potentiel. L'adulte et l'enfant en lui savaient tous deux que sa maturité et son ascension professionnelle venaient en grande partie de sa thérapie avec Sylvia, *sa magicienne* comme il aimait l'appeler.

« Tu n'es pas pressée, Sylvia ? Tu restes, n'est-ce pas ? »

Sylvia sentait dans le cœur du petit roi cette même peur qu'elle avait si souvent traitée en lui. La peur d'être abandonné.

« Viens, regarde, il y a un bon feu, juste pour nous deux ! Sans le savoir, je crois que je t'attendais ! »

Fébrilement, ils s'installèrent autour de cette douce chaleur qui flottait dans l'air. Levant son verre, il dit :

« Merci, merci, Sylvia d'être là ! Tu sais, hier soir, j'ai fait une prière à mon Ange Gardien et je lui ai demandé de prendre une forme humaine et de venir me voir. Et te voilà !

– Et moi, il y a trois jours, j'ai demandé au ciel de me guider vers toi ! reprit-elle les yeux remplis de larmes. Tchin ! »

Joshua s'empressa de prendre une gorgée, déposa son verre et prit les mains de Sylvia entre les siennes.

« Qu'est-ce qui se passe, ma belle ? »

Ne pouvant plus retenir son immense chagrin, elle s'abandonna dans les bras de son ami. Comme elle l'avait fait si souvent pour lui, Joshua lui caressa le dos, attendant qu'elle libère toute cette peine, en l'accueillant dans la plus totale compassion. Lorsqu'elle se redressa, il glissa ses mains de chaque côté de sa tête jusqu'aux épaules, questionnant cette fois du regard. Que pouvait-il s'être passé dans la vie de sa chère amie ? Sylvia prit une profonde respiration et osa enfin lâcher ces trois mots qu'elle aurait souhaité ne jamais avoir à prononcer de sa vie :

« Paul est mort !

– Ah mon Dieu ! Pauvre Sylvia, c'est pas vrai ? »

Il l'enveloppa à nouveau sans chercher les mots pour la consoler... il savait qu'il n'en existait pas. Longuement, il la berça devant le feu, sous la lune en veilleuse. Les yeux fermés, il priait les anges ainsi que l'esprit de Paul, afin qu'ils soutiennent cet être merveilleux, qui depuis si longtemps soignait, pansait, libérait les blessures de tant de gens.

Lorsque Sylvia put rapatrier un peu de son courage, elle raconta le départ de son âme sœur, son mari depuis 28 belles années, son complice et allié dans sa mission. Joshua se souvenait de Paul pour l'avoir croisé à quelques reprises chez Sylvia. Son souvenir était celui d'un homme jovial, bien portant et bon vivant. Chaque fois qu'elle lui avait parlé de son amoureux, comme elle l'appelait encore après toutes ces années, c'était pour remercier Dieu de leur rencontre et leur cheminement dans cette vie. À part ces quelques confidences, Joshua ne connaissait pas grand-chose de l'homme.

« Nous arrivions de voyage. Le voyage de nos rêves... trois mois en Égypte. Un soir après le dîner, Paul me demanda de venir m'asseoir près de lui sur la véranda. Il faisait doux, tout était calme. Les étoiles commençaient à tapisser le ciel et la lune effilée semblait nous bercer. C'était tellement beau ; je croyais qu'il m'amenait contempler ce spectacle là-haut, comme il le faisait si souvent... Ce qui m'attendait n'avait rien d'un ciel étoilé ! »

Fermant les yeux, Sylvia semblait chercher en elle un peu d'air, une dose de force qui l'aiderait à reformuler ces paroles qui brisèrent son cœur.

« Il me prit par les épaules comme pour amortir le choc et me dit : "Mon amour, tu devras être forte ! Avant notre départ pour l'Égypte, tu te souviens, j'ai passé des examens, étant donné notre long séjour. Tu me pardonneras, Sylvia, je n'ai pas voulu gâcher ton voyage, alors j'ai attendu à notre retour pour t'annoncer... eh bien, pour t'annoncer que j'ai un cancer." *Un cancer de quoi ?* me suis-je empressée de lui demander, espérant qu'il ne serait pas virulent. "Du cerveau, Sylvia ! Je suis désolé, ma chérie." Et nous avons pleuré ensemble pendant de longues et interminables minutes. Mais tu me connais, Joshua, je rebondis vite. Alors là, tu te doutes de la panoplie de questions que je lui ai posées afin de déterrer quelque part ne serait-ce qu'une once d'espoir !

– Ah ! Pauvre Sylvia... mais quand est-ce arrivé ?

– Un mois plus tard... il s'est envolé. Je l'ai accompagné jour et nuit sans jamais désespérer. J'ai tellement prié pour qu'il guérisse, et j'ai cru profondément à un miracle, tu sais ! Si tu savais comme j'ai pensé à toi, à Mathilde, à Michelle et leurs enfants. Je ne vous ai pas téléphoné parce que, pour moi, vous avertir signifiait que nous abandonnions la bataille ! Dieu que je me suis accrochée !

– Et ça fait combien de temps qu'il est parti, dis-moi ?

– Deux mois... deux mois, aujourd'hui ! Depuis ce temps, je ne fais qu'errer... je l'attends, même si je sais qu'il ne reviendra pas. Tout est allé trop vite, c'est comme un cauchemar dont je ne réussis pas à sortir, tu vois ! Dans les trois derniers jours, il m'a demandé à maintes reprises de lui promettre que je survivrais et que je serais heureuse à nouveau. Il m'a même dit : “je ne te laisserai pas tomber, mais tu dois me laisser partir, mon ange ! Je t'en prie...”

« Je l'ai fait... comme une grande fille, je lui ai même dit une belle phrase que j'avais lu quelque part : “je t'aime tellement que je te laisse partir.” Mais tu vois, Joshua, ce n'était que ma bouche qui prononçait ces paroles, mon cœur, lui, le suppliait de rester. Malgré mon ouverture spirituelle et mes connaissances psychologiques, je suis paralysée... je ne sais plus rien ! J'ai honte de ne pas avoir la sagesse de le laisser aller ! C'est fou... j'ai l'impression de régresser plutôt que d'évoluer ! Mais qu'est-ce que je vais devenir, Joshua ? »

La jeune veuve de 48 ans s'écroula à nouveau en larmes. Joshua écoutait, ému et serein à la fois, le triste récit de sa thérapeute. Il se retrouvait maintenant assis dans l'autre chaise. Celle de l'aidant et du messager. L'épisode de Maude et Isabelle se raviva à sa mémoire ! Il se rappela aussi la présence irremplaçable de Laurie qui s'était manifestée à lui un an après son décès. Il comprit soudainement le sens de sa mission, la raison pour laquelle Sylvia se trouvait là, devant lui. Toutefois, il n'osait pas s'avancer. Pour le moment, il sentait qu'il n'y avait qu'une chose à faire, *l'écouter avec compassion*, tant qu'elle en aurait besoin.

De son côté, Sylvia connaissait le don de Joshua et le bien que les messages de Laurie lui avaient apporté. Sans doute souhaitait-elle un clin d'œil de son amoureux. Mais les choses devraient se faire naturellement, sans forcer. Elle se rappelait que Joshua lui avait expliqué un jour que ce n'était pas lui qui communiquait avec sa mère, mais bien elle qui se manifestait à lui. Elle respecterait cette règle !

C'est ainsi qu'ils passèrent une partie de la nuit autour du feu à échanger dans la plus pure amitié.

Sylvia réussit à mettre son désarroi de côté pour prêter l'oreille à Joshua, comme elle savait si bien le faire. Mais le pauvre sentait son histoire si banale et sa peine si minime, comparativement à ce que vivait son amie, qu'il ne s'attarda pas sur son cas.

« Je dois partir maintenant, mon beau Joshua ! Merci de m'avoir...

– Il n'est pas question que tu prennes la route à cette heure ! Tu es épuisée ! J'ai une chambre d'amis où tu seras très bien. D'ailleurs, pourquoi ne passerais-tu pas quelques jours ici... quelque chose t'attend à Montréal ?

– C'est trop gentil, Joshua, merci ! Mais j'accepte ton gîte pour la nuit. Tu as raison, je suis claquée ! »

Le petit roi prenait maintenant soin de celle qui avait si souvent réparé son cœur. Il le faisait avec tant d'ardeur et d'amour qu'il était allé même jusqu'à la border, laissant une petite veilleuse, en forme de lune, allumée pour qu'elle se sente en sécurité. Épuisée, Sylvia s'était endormie comme un bébé. Pour sa part, le messager ne trouverait pas le sommeil aussi facilement. Après une heure d'agitation, il décida de rallumer sa lampe et de prendre sa plume blanche. Paul n'attendait que cette ouverture pour se manifester...

Alléluia ! Enfin je suis entendu ! Merci, mon Dieu, et merci, Joshua, pour cette grande générosité.

J'ai guidé Sylvia ici en espérant que tu accepterais de recevoir mon message. Je m'excuse de perturber ton sommeil, mais je te promets de ne plus te déranger par la suite. Dieu t'a fait don de la « Plume blanche », et ta mission est de t'en servir pour l'avancement et la guérison des âmes. Remercie, mon enfant, tu es béni ! C'est la première fois que je réussis à me manifester. J'espère que je serai clair... allons-y !

Sylvia, c'est moi, Paul ! Tu m'as demandé, je suis venu !

Tu pleures tellement, mon amour ! Et pourtant, je suis là tout près de toi, mais tu ne me vois pas ! Je me dépêche de te dire que je suis bien... je ne souffre plus ! *Je te le souligne pour que tu n'en doutes pas... c'est compris ? Deuxième point,* nous ne sommes pas séparés ! *Est-ce que tu peux comprendre ça, ma toute belle ? La mort ne nous sépare pas, c'est l'ego qui nous fait croire que cette vie est la seule que nous ayons et que ce corps est tout ce que nous sommes !*

Tu dois te demander d'où je sors avec ce discours ? Je sors du tunnel de la mort et j'arrive dans la Lumière. C'est beau, Sylvia, c'est tellement beau ! J'existe encore et tu existes encore ! Sur des plans différents, on peut continuer d'évoluer ensemble. L'idée n'est pas de t'accrocher à moi ni de vivre avec mon fantôme. Tu peux te raccorder à moi par la pensée, tout simplement ! Tu n'as pas à dépendre de médiums, tu peux le faire toi-même. Fais-toi confiance. Pour ça, il faudra que tu franchisses l'étape de l'acceptation de ma mort physique. Tu trouveras la paix intérieure lorsque tu te seras accordée avec le Grand Plan.

Tu sais, même si on a la foi, lorsque l'heure du grand départ sonne, on a peur ! Moi, j'avais peur que Dieu me dise en arrivant : « Homme de peu de foi ! » Sais-tu ce qu'Il m'a dit ? « Homme de tant d'amour, viens, repose-toi. Dépose ton fardeau et goûte la Paix intérieure. » En regardant le film de ma vie, j'ai réalisé que Dieu avait raison. J'ai vécu dans l'amour et le respect des autres et de moi-même. Rien de parfait, j'avoue ! Mais je ne regrette rien. Mon but sur la terre était simple et tu le sais, Sylvia ! Mon but était de remplir ma mission d'enseignant auprès des jeunes et de les aider à quitter les mondes ténébreux de la drogue et de l'alcool, de prévenir le suicide, et de leur redonner confiance en eux. Ma mission est accomplie. Je ne les ai pas tous sauvés ! Même que je n'en ai sauvé aucun... j'ai été un phare pour les aider à se sauver. Et tu sais quoi, ma belle Sylvia ? Le Phare, c'est la plus belle mission terrestre. Tu es là et tu signales qu'il y a un port d'attache, un point d'ancrage et une terre pour accueillir ceux qui veulent rentrer à la Maison. C'est merveilleux, non ?

Ta mission est aussi importante que la mienne, ne l'oublie pas ! Promets-moi juste une chose, veux-tu ? Que tu te donneras le droit de vivre, même si mon heure a sonné avant la tienne. Prends le temps de me répondre ! C'est un engagement envers toi-même d'abord... Je t'ai aimée, je t'aime et je t'aimerai.

Paul, ton amoureux pour l'éternité.

Le lendemain matin, Joshua se leva très tôt, dressa un couvert pour son amie, prenant bien soin de cueillir quelques fleurs de son jardin et de les déposer au centre de la petite table en osier sur la véranda. Un bol de fruits, des céréales et une cafetière prête à démarrer l'attendraient à son lever. Une petite note sur l'enveloppe scellée :

« J'ai reçu cette lettre pour toi, cette nuit... je vous laisse ensemble ! Tu peux passer la journée, il fait tellement beau. Je ne reviendrai que tard ce soir. Bon courage, belle amie, et mon amour t'accompagne.

Joshua, votre messager. »

Une heure plus tard la voix de Sylvia retentissait d'une pièce à l'autre :

« Joshua ? Joshua, tu es là ? Hello ! Y'a quelqu'un ? »

Voulant se diriger vers le lac, croyant y trouver son ami, elle traversa la véranda et aperçut sur la table l'enveloppe et la note. Son cœur fit trois tours lorsqu'elle lut *« je vous laisse ensemble ! »* Elle porta ses mains sur son cœur comme pour lui demander de ralentir un peu. Elle caressa la missive, fermant les yeux pour demander l'assistance de ses guides intérieurs. Tremblante, elle lut le message de Lumière de son amoureux Paul, sans une pause. Nul doute... c'était bien lui, avec ses expressions, sa fermeté, sa tendresse et sa bonté. *« ...ma toute belle »* furent les trois mots clés. Sa signature ! Tantôt pleurant, tantôt riant, elle relut vingt fois plutôt qu'une cette lettre d'amour qui allait lui ouvrir la porte vers sa voie de guérison.

Le message de Paul ne ferait pas de miracle ! Seule Sylvia choisirait de s'en servir comme d'un fil d'or, avec lequel la magicienne allait recoudre son cœur. Ainsi, elle honorerait sa promesse de poursuivre sa route et d'accomplir sa mission.

En rentrant ce soir-là, Joshua trouva sur la table du salon un immense bouquet de fleurs de toutes les couleurs, accompagné d'une carte...

Cher Joshua,

Tu ne sauras probablement jamais la teneur du cadeau que tu m'as fait en canalisant le message de Paul. Je ne sais pas non plus si tu es conscient de ta propre mission et de tes dons. Je veux que tu saches que je repars d'ici avec une tonne en moins sur mes épaules et sur mon cœur. La lettre de Paul est sans l'ombre d'un doute l'œuvre de son esprit, et je t'en remercie du plus profond de mon âme ! Je l'ai reconnu, c'est absolument lui !

Merci, merci, mon ange, et prends bien soin de toi ! Je te redonnerai des nouvelles. Je t'aime tant...

Sylvia XXX toujours là pour toi !

Joshua se pencha au-dessus du bouquet pour humer son parfum délicat et s'en imprégner l'âme. Le bien-être qui l'habitait lui venait certes de la satisfaction de la mission accomplie. *Servir la Lumière...* se dit-il. *C'est simple, c'est tout ce que j'ai à faire !*

En rentrant, il s'était empressé de se reconnecter à la vie. Téléphone, ordinateur, radio et télévision retrouvèrent leurs fonctions. Le fait de venir en aide à une personne encore plus blessée que lui eut comme effet de dédramatiser sa situation et éclaircir son esprit. Un regain d'énergie lui fit voir cette peine d'amour d'un autre œil. Il s'accueillerait d'abord lui-même totalement, et jamais plus il n'abandonnerait le petit Joshua de 8 ans en lui. *Sans t'attendre, je me donne aussi le droit de continuer de t'aimer, Émilie !* pensa-t-il sincèrement.

11

Le cadeau

La sonnerie du téléphone retentit:

« Allô!

– Joshua... comment vas-tu ? »

La voix de Mathilde lui fit l'effet d'une bouffée de joie et d'air pur.

« Hé !... salut, maman ! Comment ça va ? Vous êtes rentrés ?

– Nous débarquons de l'avion ! Fatigués, mais très heureux ! Et toi, mon ange, comment vas-tu ?

– Oui, oui... ça va ! Et le voyage de noces, tu es contente ?

– Paradisiaque ! Le plus beau voyage de ma vie... Joshua, j'ai tellement de choses à te raconter, il faut se voir bientôt ! Es-tu libre demain ?

– Amenez-vous pour dîner demain soir. On va célébrer ça ! Apportez les photos, je veux tout savoir !

– O.K.... Philippe est d'accord, on y sera, mon amour ! À demain... Je t'aime !

– À demain, alors ! Je vous aime ! Je t'embrasse... »

Joshua attendrait avec impatience les deux personnes qu'il affectionnait le plus au monde.

Mathilde n'aurait pu rencontrer un homme plus compatible avec son fils. L'ouverture d'esprit du médecin dépassait largement celle des hommes de sa génération. Dès leurs premiers entretiens, la porte sur les sujets spirituels s'ouvrit très grande. Ni l'un ni l'autre n'eut peur d'y pénétrer et de se raconter. L'histoire de Philippe soutenait solidement le jeune homme dans ses croyances et ses expériences, d'autant plus que le témoignage sortait de la bouche d'un « professionnel de la médecine », un homme bien ancré, intelligent et équilibré.

Tout avait commencé pour lui le jour de l'anniversaire de ses 20 ans. Cette année-là, Philippe franchissait le cap de la vingtaine en même temps que le seuil de la porte du monde universitaire, pour y poursuivre des études en médecine. Lui et ses amis se promettaient toute une fête en cette fin de semaine du mois d'août. Deux voitures, huit passagers, ils roulaient vers les plages du Maine. Dès leur arrivée à l'hôtel, Philippe enfila son maillot et courut tête première dans la mer. Ses amis le suivirent avec enthousiasme... il faisait beau, la vie était belle ! Tout l'après-midi les jeunes gens se prélassèrent au soleil et passèrent des heures à s'amuser comme des dauphins dans les vagues puissantes et généreuses. Jean fut le premier à demander :

« Où est Philippe ? Philippe ? »

L'inquiétude commençait à se répandre. Tout le monde criait « Philippe ? » de plus en plus vite, de plus en plus fort. Pendant ce temps, le jeune homme, qui s'était fait ramasser par une vague de fond, s'enlisait, euphorique, au fond de la mer.

Quelques mois après sa rencontre avec Mathilde, Philippe avait raconté à Joshua :

« C'est un sentiment très difficile à décrire. Tu sais, je n'étais pas inconscient, je dirais même que je n'ai jamais été aussi conscient de toute ma vie. Je voyais mon corps glisser, tu vois ? Comme si la force de la vague le tirait comme un vêtement et m'en dépouillait. Aucune douleur, aucune tristesse ! Tout était parfaitement naturel ! Je souriais à cette lumière au-dessus de ma tête, qui m'attirait vers le haut. J'ai vu ma mère, qui vit encore d'ailleurs ; je la voyais s'affoler complètement en apprenant ma noyade. Je voyais mes amis défaits, ma blonde de l'époque, meurtrie. Je voyais tout ça et je n'avais aucune peur, ni regret. Tout se déroulait si vite. C'est incroyable, tout ce qu'on peut voir en quelques minutes, c'est comme un film de trois heures. Les détails sont si précis, les visages, le passé, le présent, le futur sont une seule et même chose. La dernière image que j'ai vue, c'est celle de moi dix ans plus tard, pratiquant une chirurgie au cerveau d'un petit garçon de 12 ans. J'ai assisté à ma graduation en médecine, mes années de pratique en neurologie. J'ai rencontré des gens que je ne connaissais pas à cette époque et que j'ai identifiés au cours des années. De retour de ce voyage fantastique, je peux te dire une chose, Josh, la vie après la mort, ça existe ! Même les plus grands scientifiques ne peuvent plus le nier, bien que plusieurs s'y acharnent encore.

« Après cette projection dans le futur, je suis revenu près de mon corps. Tout à coup, j'ai vu arriver mes amis Jean et Réal qui m'avaient repéré au fond de l'eau. Ils m'agrippèrent aussitôt par les aisselles et me sortirent à l'air libre en un rien de temps. Je me suis toujours demandé comment ils avaient fait ça. Lorsqu'ils m'ont étendu sur la grève, je ne respirais plus. Plus tard, j'ai été déclaré cliniquement mort pendant 12 minutes ! Aucun d'eux, sauf Jean, ne croyait à cette réanimation. Il s'est acharné sans répit. Il m'a confié par la suite qu'il n'avait rien senti, que son corps exécutait un commandement qui ne venait pas de lui. "Je te le dis, Phil, j'ai été guidé..." me répétait-il sans cesse ! "Et puis, j'en ai rien à faire de tes remerciements, ce n'est pas moi qui t'ai sauvé la vie, O.K.? Y'a autre chose qui était là !".

« Lorsque les secours arrivèrent, je savais que j'avais un choix à faire. La lumière s'éloignait doucement et je savais que je devais choisir entre partir ou rester. J'ai consciemment choisi de rester mais, avant de quitter cette lumière divine, je lui ai dit : "Je veux me souvenir toute ma vie de cette expérience de mort imminente et connaître clairement ma mission sur la terre". Ce fut fait ! La lumière m'avait projeté le film de ma vie et je ne l'ai jamais oublié. »

Les deux hommes s'étaient entretenus pendant des heures sur le sujet. Tout devenait tellement clair et rassurant ! Après ce récit, le petit roi demeurait avec une question qui lui brûlait les lèvres. Philippe le perçut...

« Allez, mon garçon, qu'est-ce qui te *chicote*?

– J'essaie de comprendre pourquoi, toi, tu es revenu ? Pourquoi d'autres qui pourtant, comme toi, voient leurs proches en détresse, ne reviennent-ils pas ? C'est comme pour Louis. Il racontait, dans sa lettre à Mathilde, une noyade de laquelle il était revenu à l'âge de 4 ans. Mais pourquoi n'a-t-il pas fait le même choix à 38 ans ? Est-ce qu'il t'est arrivé de regretter... »

Philippe l'interrompit :

« Oh là ! Pas trop vite, mon ami... je vais essayer de répondre à ta première question d'abord. Et pour tout te dire, je n'ai pas vraiment la réponse puisque, vois-tu, mon chemin de vie, ou mon Grand Plan, si on veut, il se dessinait ainsi. Ma mission n'était pas accomplie.

– Est-ce que ça veut dire qu'un enfant de 3 ans qui meurt a accompli sa mission ?

– C'est une question très délicate, comme toutes les grandes questions existentielles qui se posent. Vois-tu, Joshua, à mon avis, il n'y a pas de règle générale. Je crois qu'il y a différents types de morts ou de passages, si tu veux, comme il y a différents types de vie. Ce qui m'est resté le plus ancré dans mes mémoires cellulaires après cette renaissance, c'est que notre âme et Dieu, c'est une même chose. Comme si tout simplement nous étions une parcelle de la divinité.

« Ce n'est pas quelqu'un ou une force supérieure qui choisit pour nous. Nous avons tous un libre arbitre en tant qu'esprit, et c'est de ça qu'il faut se souvenir en tout temps. Au-delà d'être parents, amis ou collègues de travail, nous sommes des âmes en voie d'évolution à travers des processus initiatiques. Chaque pas que nous faisons sur cette terre est un pas dans notre évolution à la fois personnelle et collective. Donc, je crois que même les enfants qui choisissent de quitter l'enveloppe et le plan terrestre ont un Grand Plan, qui est souvent relié à celui de leurs parents. Autrement dit, un enfant qui passe à un plan de conscience plus élevé est un Ange dans le ciel pour ceux qui restent. Et je suis convaincu qu'il y a de ces êtres de Lumière qui consacrent leur vie au ciel à faire du bien sur la terre. Savais-tu, Joshua, que les gens qui ont la foi et qui viennent en aide aux autres sont plus heureux et jouissent d'une meilleure santé ? Ça ne veut pas dire qu'ils n'ont pas d'épreuves et qu'ils ne mourront pas un jour. Ça veut dire que l'amour, la charité et la foi sont les trois clés du bonheur. En tout cas, c'est ce que j'en déduis avec mon expérience. »

Joshua en avait oublié sa deuxième question, tellement la lumière de Philippe lui donnait matière à réflexion. Depuis cette conversation, Joshua attendait toujours impatiemment la venue de Philippe et Mathilde. Sa nature curieuse et avide de connaissances attirait constamment vers lui des gens au bagage riche d'expériences et de spiritualité.

Le soleil commençait doucement sa descente lorsque la voiture s'engagea dans l'entrée en klaxonnant joyeusement. Mathilde, folle de joie, sauta au cou de son fils, tandis que Joshua, la faisant tourbillonner, lançait un chaleureux clin d'œil à Philippe. Les bras chargés de souvenirs, de bonnes huiles d'olives d'Italie, de bons vins et de photos, le couple débordait d'énergie. Joshua contemplait leur bonheur:

« Laissez-moi vous regarder ! Vous êtes magnifiques !... allez, rentrons ! »

Chacun allait s'exécuter dans sa spécialité. Joshua servirait l'apéritif et monterait une table invitante, tandis que Mathilde préparerait l'entrée italienne et que le grand chef Philippe concocterait sa recette préférée de pâtes aux fruits de mer. La soirée s'annonçait riche en dégustation et en échange. Tout d'abord, un voyage en photos en prenant l'apéro... L'ambiance joyeuse laissait tout de même transparaître une certaine tristesse chez Joshua. Philippe, habile à poser les bonnes questions, demanda:

« Et puis, Joshua, ton séjour à Port-Daniel... ça s'est bien passé ?

– Philippe, tu possèdes vraiment un petit paradis sur terre. L'énergie de cet endroit est tout à fait curative. Je te dirais même que j'y ai vécu un séjour inoubliable. Beaucoup de choses me sont arrivées dans cette belle Gaspésie. »

Il raconta d'abord l'accident, le passage d'Isabelle, sa rencontre avec Maude et son accompagnement à Éric. Mathilde essuyait de temps en temps quelques larmes, s'émerveillant devant la force et la conscience que la vie avait prêtées à ce jeune homme. Philippe, profondément touché, faisait des liens étonnants. À son tour, il questionna.

« Mais Joshua, comment fais-tu pour capter ces informations si précises ? C'est incroyable ! Je pensais que tu n'avais plus reçu de message depuis longtemps.

– Moi aussi, je croyais que c'était terminé. C'est en méditant sur le rocher de la pointe que maman s'est manifestée.

– Laurie est venue te voir ? Demanda Mathilde, emballée. Tu devais être si heureux, Joshua !

– Oui et... il hésita... et un autre message m'est arrivé, Mathilde !

– Ah oui ! Raconte...

– Eh bien, non. Je crois que je vous le ferai plutôt lire dans un autre contexte. Je dirais, en toute humilité, qu'il s'agit d'un message qui m'est arrivé de l'Ordre du Sacré. Il est inscrit dans mon livre de Lumière. On en reparlera, tu veux bien ? »

Mathilde devrait patienter, ce qui n'était pas sa vertu principale.

« Bien sûr, mon amour, on va attendre... sans problème ! » bafouilla-t-elle.

Joshua enchaîna avec la rencontre d'Émilie pour terminer avec son triste dénouement. Un silence s'imposait. Mathilde posa sa main sur la sienne :

« Je suis certaine qu'elle ne cesse de penser à toi, mon ange ! Ta compréhension est parfois trop grande. C'est-à-dire que tu te mets tellement dans la peau de l'autre que tu oublies d'exprimer tes propres sentiments et tes besoins. Tu lui as cédé toute la place, tout l'espace, sans rien affirmer. C'est bien beau, la sagesse, Josh, mais tu es un être humain et tu as toi aussi des peurs et des désirs. »

Le regard de Mathilde se promenait entre Philippe et Joshua, comme si elle attendait un assentiment masculin.

« Corrigez-moi si je me trompe, mais peut-être que je pense en “fille”, je ne sais pas !

– Non, tu as probablement raison, maman... j’ai beaucoup de difficultés à m’affirmer. Je crois que j’ai tellement peur d’être abandonné, que j’abandonne le premier. Quoique, disons que cette fois-ci je me suis fais *flusher*, comme on dit.

– Josh, reprit Philippe... tu sais, lorsque j’ai rencontré ta mère la toute première fois au chevet de Louis, mon cœur a reconnu son âme sœur, mais je savais que le *timing* n’était pas le bon. Si j’avais fait un seul pas vers elle, c’est clair qu’elle m’aurait repoussé. Il faut laisser aux blessures le temps de guérir. Fais confiance, si elle est pour toi, elle repassera sur ton chemin... c’est certain !

– Mais dites donc, les gars... vous êtes la sagesse incarnée ! reprit Mathilde en riant. Merci, mon amour, d’avoir fait confiance à la vie et de m’avoir attendue ! Je crois que c’est ça, la loi du lâcher-prise.

– Tout à fait, maman, et c’est sur cette loi que je médite ces jours-ci. Mais revenons donc à vous deux. Au fait, quoi d’autre au cours de ce voyage ? Tu me disais au téléphone que tu avais des tas de choses à me raconter ! »

Sur ces mots, Mathilde se leva pour revenir avec une enveloppe à la main. Lorsque Joshua vit la maquette du centre, son cœur se serra. Il pouvait déjà imaginer toutes les guérisons et les enseignements qui allaient se dérouler sous ce toit. Joshua se sentait rarement envieux dans la vie mais, à ce moment précis, il contemplait avec une « saine » envie le projet du Centre. Il ressentait à quel point il souhaitait que sa mission lui apparaisse aussi clairement ! Comment pourrait-il arriver un jour, sans diplôme ni reconnaissance sociale, à venir en aide aux gens ? Chassant vite ce nuage de son esprit, il s’empressa de se réjouir avec eux, de les féliciter et de les encourager en leur disant qu’il s’agissait là du plus beau projet du monde.

Philippe sortit les plans, les déplia et tous les trois, debout au-dessus de la table, visitaient l'intérieur de l'édifice, guidés par le docteur Simon.

« Alors tu vois, ici, ce sera l'accueil et la salle d'attente, ensuite si on emprunte ce corridor, on trouvera trois salles de traitements pour la massothérapie, l'ostéophatie et l'acupuncture. Sur ce même étage, Mathilde aura son bureau de psychothérapeute et, voisine d'elle, nous espérons recevoir Sylvia, alors qu'au deuxième étage cohabiteront un pédiatre, un médecin de famille, un psychiatre et moi-même. Si on revient au premier plancher, à côté du bureau de Sylvia, tu vois un espace libre...eh bien, il est pour toi, Joshua. Nous te le réservons. »

Moment de silence. Mathilde reprit...

« Nous te réservons ce bureau, Joshua, mais tu es libre de l'occuper quand tu seras prêt. En fait, Philippe et moi en avons longuement discuté et nous sommes convaincus que tu as ta place dans ce Centre. Avec tout ce qui t'est arrivé durant notre absence, nous savons maintenant, sans l'ombre d'un doute, que les âmes ont besoin de toi pour les accompagner dans leur passage. Tu as une mission, mon grand ! Est-ce que tu en es conscient ? »

Joshua, abasourdi, secouait la tête. Tout se précipitait dans son esprit et, à la fois, tout résonnait juste.

« Je ne sais pas ! Écoutez, c'est une surprise tellement inattendue. Je ne sais pas quoi vous dire. Votre confiance me touche profondément et, en même temps, je ne suis pas certain d'être à la hauteur, et de posséder les qualités requises de thérapeute pour endosser un tel mandat. Je ne vois pas trop comment je pourrais intervenir, vous comprenez ? Ce que je fais, je ne le fais pas sur commande... ça m'arrive, c'est tout ! Alors je me vois mal assis dans un bureau à attendre qu'un défunt m'interpelle ou qu'un mourant frappe à ma porte pour me demander de l'accompagner.

– C'est pour ça que nous t'offrons un “espace libre”, Joshua, reprit Philippe. Pour que tu l'utilises en toute liberté, au besoin. Tu vois, nous serons une chaîne d'aidants dans ce Centre, ce qui veut dire que nos patients recevront les traitements des différentes approches que nous offrons, selon leurs besoins respectifs. Par exemple, si j'ai un patient atteint de cancer en phase terminale, le moment venu, s'il accepte un soutien dans le passage, tu pourras offrir ton accompagnement. L'espace de bureau te servira davantage pour l'accompagnement des familles en deuil, ce qui ne signifie pas pour autant que tu dois les mettre en contact avec leurs défunts via ton canal. Tu le feras spontanément, comme tu l'as toujours fait. Tu sais, Joshua, des diplômes pour faire ce que tu fais, ça n'existe pas ! Ton certificat te vient droit de la Lumière. Fais-toi confiance ! »

Joshua sentit monter une vague d'émotions si forte qu'il ne pouvait plus la contenir. Son âme, déjà installée dans sa mission, créait un espace dans cette chaîne de travailleurs de lumière. Les larmes coulaient sur le sourire de Mathilde, Philippe serrait les lèvres pour contenir et goûter sa joie plus longtemps. Joshua brillait de sa lumière. Il comprit soudain que le cadeau au bout de l'initiation gisait là, sur la table.

« Merci ! Merci, Philippe pour ta confiance professionnelle et le respect que tu me portes. Merci encore une fois, maman ! Si tu savais comme cette affiliation est précieuse pour moi. Je ne sais plus quoi vous dire d'autre que MERCI ! »

Mathilde le serra dans ses bras, pour ensuite lui donner une solide poignée de main.

« Bienvenue dans le cercle des travailleurs de Lumière, Joshua Brown ! Tu es un chaînon d'or à la grande chaîne d'amour que nous formons. On aura beaucoup de plaisir à travailler ensemble ! »

Philippe remercia la vie pour cette réponse affirmative du messager de Lumière. Il n'avait aucun doute quant à sa compétence et son rôle important dans le Centre.

« Il ne nous manquera que Sylvia ! » s'empressa d'ajouter Mathilde.

Joshua jeta son regard par terre, se frottant la nuque :

« Heu ! Il me restait ce passage à vous raconter...

– Mon Dieu, que se passe-t-il ? Il n'est rien arrivé à Sylvia, j'espère...

– C'est-à-dire que notre belle thérapeute est en deuil ! Paul est mort.

– Ne me dis pas ça, dit Mathilde en se rasseyant ! Que c'est injuste ! »

Elle se tourna vers Philippe :

« Mon amour, ce couple était tellement beau et rayonnant ! Que c'est triste, je n'en reviens pas ! Je dois lui téléphoner dès demain... mais comment est-elle, dis-moi ?

– Tu connais Sylvia... toujours aussi authentique et consciente. Elle vit chaque étape dans la foi et l'amour inconditionnel, mais ça n'enlève rien à sa blessure si vive, tu vois, c'est très récent.

– Je vais prier pour elle et Paul... je me demande bien comment lui, de son côté, réussit à faire le passage... ils étaient si unis, si amoureux ! »

Et Joshua enchaîna avec le récit de la visite de Paul à Sylvia par son canal d'écriture, tout en respectant le secret spirituel. Tous trois s'émerveillèrent une fois de plus devant la beauté et la grandeur des communications de l'au-delà.

Le reste de la soirée se déroula dans le silence, devant le feu, ces trois « militants de la Paix » méditant sur le *cadeau*.

12

L'éveil d'Émilie

En Gaspésie, dans la Baie des Chaleurs, une jeune femme poursuivait sa route, essayant en vain de laisser derrière elle cette « aventure » avec Joshua. Le combat d'Émilie entre son ego et son âme ne lui laissait aucun répit. Persévérant dans la résistance, la pauvre se donnait un mal terrible à tenter de nier ce qui s'était passé le jour où son âme sœur était venue frapper à la porte de son cœur.

Chaque fois que le doux visage de Joshua lui revenait à l'esprit, elle s'empressait de se distraire, de fuir ce regard d'amour inconditionnel. Son échappatoire ? le travail. Elle passait des heures à l'hôpital, auprès de ses patients à faire même du bénévolat pour éviter ce rendez-vous avec elle-même. La vie, dans sa grande intelligence, allait se charger de la ramener à l'Ordre Divin !

Alexis, un petit bonhomme de 3 ans, sortait d'un coma profond dans lequel il s'était réfugié depuis 13 semaines. Ce retour à la vie tenait du miracle. Ça ne pouvait être autre chose que l'intervention d'une force supérieure. Tous s'entendaient là-dessus. Le petit patient d'Émilie, attachant comme tout et doué d'une intelligence supérieure à la moyenne, deviendrait dans sa vie un autre projecteur de Lumière, un deuxième messager.

Petit à petit, la psychologue exerçait la mémoire d'Alexis à reprendre contact avec ses souvenirs et à se reconnecter à la vie. L'enfant, dans sa candeur et sa confiance, ne dépensait pas autant d'énergie qu'Émilie pour se réapproprier le passé. Ce que les grands ne savent pas, c'est que les petits, lorsqu'ils « décollent », puis reviennent à la vie terrestre, ramènent souvent avec eux un nouveau mandat. Il ne faudrait à Émilie que quelques jours pour aider Alexis à reconnaître son papa, sa maman et sa petite sœur Jade. Le petit garçon faisait des progrès fabuleux chaque jour.

Ce soir-là, pendant qu'elle lui racontait une histoire pour l'endormir, le petit génie sortit de sa lampe !

« C'est qui, lui ?

– Lui, c'est le papa de Pinocchio... Geppeto !

– Non, pas lui... lui, là... qui est à côté de toi. » dit-il, pointant du doigt l'épaule gauche d'Émilie.

Perplexe, elle y jeta un œil rapide. Personne !

« Il n'y a personne, mon ange, à côté de moi !

– Oui, il y a quelqu'un... répondit-il, frustré.

– Mais dis-moi, Alex, qui tu vois ?

– C'est un grand garçon... il a des cheveux comme toi, frisés. Mais pas la même couleur ! Il a des grands yeux bleus. Aussi, il a une marque dans son cou. »

Le sang d'Émilie se glaça dans ses veines. Elle avait vite fait de reconnaître Mathieu, son grand frère adoré ! Mais qui était cet autre extraterrestre ? L'enfant avait-il les mêmes dons que Joshua ? Sa curiosité piquée à vif, elle sentit le besoin d'aller plus loin, d'en savoir plus long. Délicatement, comme pour ne pas couper le fil conducteur, elle se pencha sur le petit messager et murmura...

« Et qu'est-ce qu'il veut, le jeune garçon... est-ce qu'il parle ?

Non, il a les yeux fermés et il sourit. Et là, il s'en va... »

Comme si un film venait de se terminer, Alexis se tourna vers elle et s'exclama :

« J'ai faim, Émilie ! »

L'apparition s'était évanouie aussi vite qu'elle était venue, laissant derrière elle une jeune femme complètement paralysée sur sa chaise. Elle sonna l'infirmière, qui arriva aussitôt, et lui confia l'enfant en appétit.

« Je dois partir, Brigitte, tu en prends bien soin, O.K. ? »

Elle embrassa le petit sur le front, lui souhaita bonne nuit et prit la poudre d'escampette. Sur le chemin du retour, Émilie, décontenancée, avait peine à voir la route tellement elle pleurait. Joshua disait donc vrai... il y avait incontestablement une vie après la mort et les défunts pouvaient venir nous visiter pour nous aider à guérir et à avancer. L'image de Mathieu souriant, les yeux fermés, la rassurait. Elle l'interpréta comme s'il voulait lui dire que tout était bien, qu'elle n'avait plus à s'en faire pour lui et qu'elle pouvait enfin se donner le droit d'être heureuse. Il s'agissait même plus que d'une interprétation. Lorsqu'elle visualisait en elle cette image, c'est exactement le message qu'elle recevait dans son cœur. Cette fois, elle ne refermerait pas la porte de la conscience. Ce contact spontané, venant d'un être si pur, ne pouvait qu'être guidé par la Lumière.

Le lendemain, elle se précipita à la bibliothèque à la recherche d'une lecture qui pourrait l'éclairer et la réconforter. Cette expérience peu commune exigeait une confirmation bien terre-à-terre pour la cartésienne encore bien active en elle. Le livre l'attendait : *La mort est un nouveau soleil*. L'auteure, une psychiatre reconnue, relatait son expérience auprès des enfants en phase terminale, révélant à l'athée qu'elle était à l'époque l'existence d'une vie après la mort. Elisabeth Kübler-Ross deviendrait le mentor d'Émilie, son guide spirituel. Sa passion pour la carrière de cette grande dame l'amènerait plus tard à choisir une nouvelle approche avec ses jeunes patients. Elle les questionnerait davantage et surtout elle écouterait davantage ce qu'ils avaient à lui enseigner !

Pendant des semaines la jeune Gaspésienne passa à travers cinq des ouvrages du Dr Kübler-Ross. Nul doute maintenant dans son esprit. Elle comprit même que la vie lui avait fait don d'un précieux cadeau en mettant Joshua et Alexis sur sa route. Émilie entreprit courageusement un travail de guérison sur elle-même avant de se décider à refaire surface dans la vie de Joshua.

Ce soir-là, le chanteur revenait d'un souper avec son agent. Sa décision étant prise, Joshua n'avait pas tardé à l'informer qu'il quittait maintenant le monde du spectacle pour se consacrer à sa mission spirituelle.

À sa grande surprise, l'impresario ne fut pas renversé outre mesure. Dans les derniers mois, l'attitude de Joshua laissait présager un tel changement. Ils se quittèrent sur une note positive, sans rancune ni regret. *Lorsque je m'accueille dans les changements, les autres m'accueillent sans contredit... c'est fascinant*, pensa-t-il. Plus tard, il organiserait une fête avec toute son équipe pour sceller cette belle aventure et leur rendre hommage.

Lorsqu'il entra à la maison, Joshua trouva une enveloppe accrochée à la petite lanterne à côté de la porte, portant une simple inscription, « Joshua ». Sans enlever son manteau, il se précipita dans le fauteuil près de la lampe restée allumée.

Salut, Joshua !

Je suis à l'Auberge Victorienne de Saint-Sauveur. J'ai besoin de te voir. Si tu veux bien écouter ce que j'ai à te dire et si j'ai toujours une place dans ton cœur, s'il te plaît, téléphone-moi ! Voici le numéro, je suis à la chambre 12.

Émilie... XXX

Joshua croyait rêver ! Il relut trois fois la courte note, qui respirait le bonheur. Il ne laisserait pas ses peurs ternir ce moment magique. Il décrocha aussitôt et composa le numéro de l'Auberge. Lorsqu'il entendit sa voix angélique, son cœur se dilata :

« Salut... c'est bien toi, Émilie ?

– Salut, Josh ! sa voix souriait...

– Viens... je t'attends. »

Un quart d'heure plus tard, Joshua ne pouvait pas croire qu'Émilie se trouvait là devant lui, resplendissante malgré les 12 heures de route qu'elle venait de parcourir. De toute sa vie, jamais il n'avait goûté un moment aussi magique. L'aura d'Émilie révélait indéniablement tout le cheminement qu'elle avait accompli. Une lumière irradiait de tout son être. Joshua l'avait trouvée très belle le premier soir de leur rencontre. Mais à cet instant, ce qui émanait d'elle n'appartenait pas au plan physique, mais bien à la beauté sublime de l'âme. Joshua voyait enfin la vraie Émilie !

Pendant des heures, ils échangèrent sur leur parcours respectif. Depuis le tout premier message de Laurie, Joshua savait qu'il n'était pas l'auteur des écrits qu'il recevait, mais bien le scribe. Écoutant attentivement le récit d'Émilie, il remercia les âmes d'Alexis et de Mathieu d'être venues confirmer son message et éveiller ainsi son âme sœur.

Émilie lui demanda pardon de l'avoir jugé, et surtout de lui avoir fermé la porte de son cœur. Joshua l'écoutait, souriant, sans rien dire. Il n'avait rien à lui pardonner... tout était parfait dans le Grand Plan, maintenant il le comprenait.

« Lorsque j'ai reçu ton dernier message, mon cœur a saigné et j'ai mis quelques jours à me relever. Je savais au fond de mon être que tu étais celle que j'aimais et avec qui je voulais vivre ma vie. Alors j'ai tracé ton nom dans le sable et j'ai dit : *"C'est toi que j'aime ! Je lâche prise et je te laisse aller. Si tu es pour moi, tu reviendras."* Et j'ai chanté pour toi.

– Qu'est-ce que tu as chanté ?

– *Je serai là pour toi !* Et il poursuivit en chantant... *comme un ange après la nuit, je serai là pour toi, un ami qui suit ta vie...* »

Joshua s'arrêta net lorsqu'il aperçut l'air consterné d'Émilie.

« Mais qu'est-ce qu'il y a ? tu sembles bouleversée ! »

Émilie ravala, secouant la tête en signe d'incrédulité :

« Et quand as-tu fait ce rituel, Josh ?

– Au lendemain de ton message, pourquoi ?

– C'est pas vrai ? Ça ne se peut pas ! Ce jour-là, en revenant de l'hôpital j'ai entendu cette chanson à la radio pour la première fois. J'ai été tellement touchée, tu ne peux pas savoir. Je suis allée acheter le disque sur-le-champ. Une fois chez moi, je l'ai placé dans le lecteur et j'ai appuyé sur "*repeat*". Je me suis glissée dans mon bain et j'ai pensé très fort à toi. Je me disais que c'était sûrement ce que tu voulais me dire et j'imaginais que tu chantais pour moi. Je ne comprenais pas ce qui m'arrivait, maintenant je sais. Tout est si clair ! Nos âmes ont communiqué ensemble... c'est incroyable ! »

Fascinée par cette occurence, Émilie restait bouche bée. Joshua, les yeux remplis de larmes, s'émerveillait aussi. Ils s'enlacèrent tendrement comme deux anges qui se retrouvent. Joshua transporta Émilie dans la chambre. Derrière la fenêtre ouverte, les étoiles tapissaient le toit du monde, et la lumière de la pleine lune en veilleuse bénissait leur amour !

13

Second entretien de Lumière

Trois semaines plus tard, Émilie reprenait la route pour Maria. Le départ eût été beaucoup plus déchirant s'ils n'avaient pas réussi cette fois à choisir la voie de l'engagement.

« Deux mois, mon amour ! Deux petits mois et je serai ici, chez toi...

– Chez *nous* Émilie ! Maintenant ici, c'est chez toi, chez nous ! Je vais préparer notre nid. Tu auras ton espace à toi, j'aurai le mien, et nous aurons le nôtre. Je m'occupe d'organiser ton bureau ! Laisse-moi t'offrir de le meubler, veux-tu ? Nous irons ensemble choisir ton mobilier à ton retour...

– Tu es trop généreux, Josh !

– Chut ! Je veux partager avec toi tout ce que j'ai reçu. La vie m'a choyé sur le plan financier. À mon âge, rares sont ceux qui sont indépendants de fortune.

– Mais j'ai besoin de mon autonomie, je veux garder mon indépendance... »

Tout cela l'affolait...

« Ce qui t'appartient par droit divin, Émilie, je le respecte entièrement. Je ne te prends pas à charge... je t'accompagne et, si je peux te faciliter ce grand changement que tu acceptes de faire en aménageant avec moi, je te demande de le recevoir. Tu es une femme autonome et responsable et c'est aussi pour ça que je t'aime ! »

Tenant son doux visage entre ses mains, il l'embrassa tendrement.

« Je t'aime tant... tu es mon bel amour, mon grand amour ! »

Émilie se blottit sur son cœur pour entendre l'écho de ces mots de tendresse. De toute sa vie, elle n'avait pu imaginer un tel bonheur. Ces trois semaines se déroulèrent dans l'humour, la complicité et les confidences.

Joshua lui avait confié le projet du Centre. Émilie espérait secrètement qu'un jour elle y aurait sa place. Mais ni l'un ni l'autre ne souleva la question. Joshua n'était pas encore tout à fait prêt lui-même à emprunter cette nouvelle voie. La venue d'Émilie dans sa vie changerait peut-être le scénario. D'ailleurs, Philippe et Mathilde lui avaient bien spécifié que l'espace était libre, et qu'il pourrait l'occuper quand bon lui semblerait. Sagement, ils allaient d'abord s'installer ensemble et s'ajuster à leur vie commune. La jeune femme ne roulait pas sur l'or, mais elle avait quand même de quoi s'offrir une année sabbatique pour ensuite chercher un emploi ou ouvrir sa pratique privée. Plus tard... elle verrait tout ça plus tard !

Ces deux mois offraient à Joshua une plage de transition. Tous ces changements venaient remuer beaucoup d'émotions en lui. Même s'il s'agissait d'heureux changements, sa partie bien humaine se retrouvait souvent dans des impasses d'insécurité et de doutes. Honorer sa mission de vie demeurait sa priorité. De plus en plus, le besoin de se connecter à la Source et de laisser venir les messages de lumière se faisait sentir. La méditation faisait partie de son rituel matinal. Ensuite, il ouvrait son livre de Lumière pour recevoir les messages de l'au-delà. Joshua se souvenait d'une époque où, durant la nuit, des défunts inconnus lui rendaient visite et lui transmettaient des messages par le biais de l'écriture. Mais cette fois, l'énergie se trouvait à un niveau différent. Le taux vibratoire n'était plus le même. Les êtres qui se présentaient à lui portaient un message d'un niveau de conscience plus élevé. L'évolution personnelle et le cheminement du jeune messager favorisaient sans doute la canalisation de tels enseignements.

Ce matin-là, après une longue méditation dans l'eau, Joshua ouvrit le livre de Lumière et y posa sa plume blanche.

Soyez bénis !

La magie commence à partir du moment où vous semez une minuscule graine en terre. Ce petit grain à peine visible deviendra des milliers de fois sa taille par la grâce du Créateur. L'eau, le sol fertile, le soleil et l'air alimenteront cette semence qui grandira, transpercera la surface de la terre et montera vers la Lumière... le soleil !

La vie, par son cycle naturel, naît, meurt et renaît sans cesse. Vous l'appelez le Mystère ! Pourtant, c'est si simple... la nature vous dévoile ce mystère par ses cycles, ses saisons, ses moissons. Vous êtes cette « vie »... vous êtes éternels. Laissez couler la Vie en vous ! Ne la retenez point de peur de la perdre. Vivez la entièrement, dans son moment présent. Car la vie n'existe pas ailleurs. Elle existe dans l'instant présent... ici, maintenant ! En ce moment même, des milliers de gens meurent et des milliers d'âmes naissent ! En ce moment même, des milliers d'enfants ont faim et des milliers de gens gaspillent !

La Lumière a besoin de toi pour alimenter ceux qui vivent dans les ténèbres de la peur. Toi, oui, toi qui lis ce message en ce moment même !

Toi qui t'inquiètes et te préoccupes pour demain.

Toi qui n'oses risquer, toi qui as peur de t'engager sur la route de l'inconnu.

Toi qui pourtant es béni et à qui Dieu a fait cadeau de tous ces talents.

C'est à toi que la Lumière s'adresse, en ce moment même.

La Lumière a besoin de ton essence. Les enfants sont les perles de Dieu ! Ils vous sont envoyés, non pas pour « faire votre bonheur », comme vous dites, mais bien pour éveiller en vous la toute puissance de l'Amour !

Ce message s'adresse à toi qui es prêt à servir la Lumière.

Toi qui es prêt à reconnaître ta mission, à respecter ton contrat avec Dieu et à l'honorer.

Les initiations seront encore nombreuses. Tu auras le sentiment d'être dépouillé, mais il n'en est rien ! Seul le superflu disparaîtra pour alléger ton bagage. Les obligations, les choses matérielles, les personnes, les responsabilités qui ne t'appartiennent pas se détacheront naturellement. Tu ne manqueras de rien, puisque l'abondance, c'est de posséder tout ce qu'il te faut pour avancer, léger, et accomplir ta mission de vie. C'est cela, le cadeau ! La liberté !

L'ego battra en retraite tandis que l'âme le transcendera, lui qui la tenait prisonnière dans la peur et le doute, la colère et la haine. L'âme émerge par le chakra du cœur, le Centre de ton être. L'Amour sera Maître partout, dans chacune de tes paroles, chacun de tes gestes, chaque bénédiction que tu accorderas à tes frères et sœurs de la terre. Ce chemin sera doux et facile, à condition que tu acceptes de mourir au passé, aux schémas héréditaires et que tu brises la chaîne des souffrances ancestrales.

Rappelle-toi que tu avais choisi ce chemin et que tu es tout équipé pour accomplir ta mission de vie. À trois reprises depuis le début de cette incarnation, ta Conscience a tenté de t'éveiller et de te rappeler cette mission. Dans le respect du libre arbitre, elle a accepté ton refus. Chaque fois tu as choisi de poursuivre ta quête d'amour à l'extérieur, vers les autres. Soit ! Ton intention était sincère de trouver ta voie dans les relations avec les autres. Tu cherchais, à l'extérieur de toi, à combler ton besoin d'être aimé, reconnu et sécurisé. Comme le nouveau-né dépendant du sein de sa mère, tu te croyais en état de survie chaque fois que la solitude t'offrait un espace pour te rencontrer toi-même. Ne te juge surtout pas... considère simplement les routes cahoteuses que tu as choisies. Dieu est compassion et amour inconditionnel. Ne te crispe point en croyant que tu as mal agi... tu as agi de ton mieux avec les connaissances et la conscience que tu avais à ce moment-là.

Dieu ne s'occupe pas de l'agitation des humains ! Il brille en ton âme et conscience. Il t'a tout donné... tout ! Il ne te reste qu'à cultiver tes talents et t'occuper toi-même de tous ces dons. Rendre grâce à Dieu, c'est honorer ta vie, prendre soin de la terre et aimer ton prochain.

Dépose le fardeau et, telle la chenille dans son cocon, laisse la vie opérer sa transformation. Détache-toi de cette enveloppe, quitte cette personnalité et laisse le majestueux papillon que tu es prendre son envol !

Bien sûr, tu seras appelé à vivre d'autres morts, d'autres deuils et d'autres naissances. N'est-ce pas ce que tu es venu enseigner et apprendre ? L'art de vivre le deuil se développe dans la découverte de la vie au-delà de ce qui est visible. Lorsque tu connaîtras la vie infinie en toi, tu sauras que tout ce qui meurt devient la graine d'une nouvelle vie.

Ma Lumière n'est autre que celle qui brille dans ton cœur et au fond de tes yeux.

Je suis le porte-parole de tous ceux et celles qui, grâce à ton amour et ta compassion, ont réussi à franchir le seuil de la porte de l'autre monde, pour traverser le Pont de cristal, jusqu'à la Lumière Divine !

Maintenant, Dieu nous bénit tous ! Jésus t'appelle... le monde t'attend ! Courage, brave messager... va, joyeux, vers un monde de paix et d'amour.

Des larmes coulaient en abondance des yeux de Joshua.

Ne pleure pas, puisque tu es digne de ce message et de cette mission ! Je suis avec toi. Je suis François d'Assise, patron de la mission de vie, et je te suis pas à pas. Va... sois en paix dans la grâce de l'enfant merveilleux que tu es !

Le petit roi se sentait comme au jour où, portant sa petite couronne de papier, le premier message de Laurie lui était parvenu par la magie de l'écriture. Il essuyait ses larmes, se rappelant la phrase du premier entretien divin : « l'humilité, c'est recevoir Dieu à sa table sans en faire tout un plat ! » *Et pourquoi pas saint François d'Assise, alors ?* se disait-il, souriant.

À la droite du livre de Lumière, une page blanche l'invitait à répondre à la Source.

Merci, merci, merci !

Puissé-je baigner dans la sagesse et l'amour de ce message tout au long de l'écriture de ce livre. Puissiez-vous demeurer près de moi pour me rappeler sans cesse ma mission de vie ! Puissiez-vous aussi m'aider à quitter ce qui me retient en arrière, et avancer droit dans mon chemin d'évolution, celui que j'ai tracé dans mon contrat avec Dieu.

Je demande à mon âme d'occuper son poste de contrôle et je commande à l'ego de se retirer, afin que l'Amour fasse son œuvre et que la Lumière traverse les ténèbres et nous aide à créer un monde de paix et d'amour. Puisse ma conscience contribuer à sauver notre planète en voie de perdition. Seul, je ne peux rien ! Avec la bénédiction de Dieu, je peux tout !

Puissions-nous devenir Paix !

14

Le Pont de cristal

Au fil des années, Joshua réalisait qu'un phénomène inévitable se produisait chaque fois qu'il canalisait un message de lumière. Immanquablement, une initiation suivait ! Impossible sur-le-champ de connaître la forme et les conditions dans lesquelles se déroulerait cette transition, mais elle se produirait. Alors le message prendrait tout son sens, tout ce qui apparaissait vague ou général deviendrait clair comme de l'eau de roche. La lumière ferait son œuvre et les tests se succéderaient, créant ainsi un espace d'intégration et d'action. Joshua avait appris que les messages de lumière ne sont pas que des mots. Leur vibration agit et déclenche des manifestations sur tous les plans. Mais il savait aussi qu'il ne contrôlait pas ces initiations, que tout était orchestré par l'Intelligence divine et se manifesterait au bon endroit, au meilleur moment. Cette capacité à lâcher prise et à ne pas tenter d'interpréter le sens des messages lui valait bien cette paix intérieure qu'il ressentait chaque fois qu'il refermait le livre de Lumière.

Quelques semaines après ce deuxième entretien avec la Source, l'initiation liée à sa mission commençait à se dessiner. Ce soir-là, Joshua attendait impatiemment l'appel d'Émilie qui tardait à rentrer. En alternance, ils se téléphonaient tous les soirs aux alentours de 20h00. Sa montre affichait 20h48 et Émilie n'avait toujours pas donné signe. Il attendrait jusqu'à 21h00, sinon il tenterait de la joindre. Cinq minutes plus tard, la sonnerie retentit. Se précipitant sur l'appareil, il répondit :

« Allô, mon amour... enfin, c'est toi !

– Bonsoir, Joshua, je m'excuse... ce n'est pas Émilie qui parle.

– Oh ! Pardon.

– Je suis Nathalie, une collègue de travail. Elle m'a demandé de vous téléphoner.

– Mon Dieu, qu'est-ce qui se passe ? Il ne lui est rien arrivé, j'espère ?

– Non, non ! Rassurez-vous. Elle m'a demandé de vous dire qu'elle vous joindra plus tard ce soir. Elle a été appelée d'urgence au chevet de son père.

– Au chevet de son père ? Mais son père est malade ?

– Eh bien oui, apparemment qu'il cachait sa maladie depuis six mois. Un cancer du foie qui s'est vite répandu, généralisé même. Ses jours sont comptés.

– Ah ! Pauvre chérie ! Elle a appris ça aujourd'hui ?

– Tout à l'heure, juste après sa dernière consultation. Elle est partie aussitôt pour l'hôpital de Chandler. C'est là qu'il est hospitalisé. Je suis désolée.

– Bon, écoutez, Nathalie... je vous remercie beaucoup ! J'attendrai son appel. Merci encore et, si vous lui reparlez d'ici-là, dites-lui qu'elle peut me téléphoner n'importe quand et que je suis avec elle de tout cœur !

– Bonsoir, Joshua ! »

Le jeune amoureux raccrocha, le cœur lourd. Il connaissait les grandes blessures d'Émilie reliées à son père. Ce scénario lui rappela son initiation dans la montagne, ce jour où sa colère contre Laurie et Buddy avait explosé. Émilie devait être tellement bouleversée et à la fois désorientée dans ce tourbillon d'émotions. Les secrets de famille constituaient son lot de frustration et de chagrin. Jusqu'au bout, son père lui avait caché la vérité. *Pauvre petite ! Comment va-t-elle gérer tout ça ? Je veux être avec elle... je pars demain matin !* se dit-il, tout en commençant à remplir sa valise.

Pendant ce temps-là, Émilie, au pied du lit, tentait de reconnaître l'homme qui dormait devant elle. Pas un trait, ni même la couleur de ses cheveux qui avaient complètement blanchis, ne ressemblait à l'homme qu'elle appelait jadis *« mon petit papa d'amour »*. Le cancer, ayant grugé la moindre once de graisse sur ses os, en avait fait un squelette au teint jaunâtre, presque sans vie. Le cœur d'Émilie cognait si fort qu'elle eut peur de le réveiller. Comme chaque fois qu'elle voyait sa mère pleurer, des crampes au ventre et une forte nausée lui signalait ce terrible sentiment d'impuissance qui l'habitait. Elle retourna au poste des infirmières pour s'assurer qu'on lui avait bien donné le bon numéro de chambre. Celle qui lui répondit fit vite de s'apercevoir que la jeune femme était en état de choc et qu'elle ne se sentait pas bien du tout.

« C'est bien votre père, Émilie. Ça faisait longtemps que vous l'aviez vu ?

– Tout près d'un an... c'est que nous n'étions pas très proches et j'aurais bien voulu l'aider mais... »

La petite fille impuissante éclata en sanglots. L'image resterait longtemps gravée dans son esprit. Une chambre dans la pénombre, une odeur de pourriture, des os sous un drap blanc, des yeux si creux qu'ils ne peuvent plus s'ouvrir. La mort lente... l'amour de son *petit papa* gisant là dans le silence et la solitude.

Les mots cognaient dur dans son esprit, des mots qu'elle et sa mère se répétaient sans cesse, croyant qu'ils amoindriraient leur colère et leur chagrin : *« Un jour, il va le payer. Quand il va mourir, je ne verserai pas une larme ; au contraire, je vais fêter ça ! »* Comment avait-elle pu penser des choses aussi horribles ? Était-ce sa faute ? Lui avait-elle jeté un sort ?

L'infirmière compatissante tenta de la consoler :

« Il ne souffre pas, votre papa. Je sais, ce n'est pas facile de le voir comme ça, mais vous pouvez être certaine que nous lui donnons tout ce qu'il faut pour apaiser la douleur. Il se repose là... venez, voulez-vous ? je vais vous accompagner et on va lui parler.

– Je ne veux pas le réveiller. Non, laissez-le dormir. Je vais attendre qu'il se réveille. Y a-t-il quelqu'un d'autre qui vient le voir ?

– Oui, oui ne vous inquiètez pas. Sa conjointe Nancy s'en occupe beaucoup. Elle est très bonne pour lui. Et il y a eu votre frère, je crois. Vous avez un frère, n'est-ce pas ? Il est venu deux fois depuis que votre père est hospitalisé. Il est si gentil et si courageux.

– Est-ce qu'il y a une autre femme qui est venue le voir ? Ma mère ?

– Pas à ma connaissance, mais peut-être qu'elle est venue... faudrait lui demander. »

Oui, c'est ça, se dit Émilie... *lui demander !* Elle ne se souvenait pas du jour où elle avait demandé quoi que ce soit à son père. Cet étranger alité devant elle, cet homme qui allait mourir d'un jour à l'autre, qui était-il ? Le tourbillon d'émotions que Joshua anticipait commençait à se faire sentir dans son ventre et son esprit. Elle devait retrouver son sang-froid et ne pas se laisser envahir par cet immense chagrin, ce lot de culpabilité et la colère qui se bousculait aux portes de son cœur, sinon elle allait craquer ! Elle quitta la chambre en quête d'une boîte téléphonique :

« Mon amour ? C'est moi... j'ai si mal, Josh ! J'ai si peur, si tu savais...

– Pleure. ma chérie... prends tout ton temps et laisse aller. Je suis là !... *ça n'est pas ta faute ! tu entends, mon ange ?* Tu n'es pas seule, je suis avec toi. »

Émilie n'arrivait pas à prononcer un seul mot. Seul un gémissement sibilant au bout du fil crevait le cœur de Joshua, à son tour impuissant.

« Émilie, écoute-moi ! Je m'en viens. Je vais dormir quelques heures et je prendrai la route vers 4h00, O.K.? Je serai là demain en fin d'après-midi. Ça va ? Tu as bien compris ? »

La pression de la bouilloire qu'étaient devenus les poumons d'Émilie, se relâcha complètement. Comme si on l'avait retirée du feu ! À travers les sanglots, Joshua ne comprenait pas un seul mot de ce qu'elle racontait, mais il savait ce qu'elle disait. *« Tu feras ça pour moi ? Tu viendras m'aider à voir mourir mon papa ? À lui pardonner ? À lui dire que je l'aime ? Tu feras ça pour moi ?* »

Il ferait ça pour elle, et pour Julien aussi, son père. Au nom de Dieu, il bénirait son corps, son âme et son esprit afin de libérer les remords, la culpabilité, la peur et l'indignation qui forment cette épaisse paroi dans le corridor de la mort, le rendant étroit et difficile à traverser. Joshua irait, bien sûr, d'abord pour Émilie et sa guérison, mais aussi pour accompagner toutes ces âmes, incarnées ou désincarnées, et les aider à se libérer de leurs liens karmiques.

Tout au long du voyage, Joshua méditait et demandait à être guidé dans sa tâche de passeur d'âmes. Il demanda à Laurie de le conseiller et le soutenir dans cette mission. En passant dans le petit village de Maria, il pria Marie pour ne pas arriver trop tard à l'hôpital. Il invoqua l'esprit de Mathieu, lui demandant d'accueillir son père dans la lumière. Le messager prenait soin de s'entourer de toutes les énergies d'amour offertes, afin de servir dignement la Lumière.

Émilie et Julien avaient besoin de ces dix heures seul à seul avant l'arrivée de Joshua. Même pendant les longues heures de silence, l'inconscient accomplissait un travail phénoménal afin de faire tomber les ego de ces deux êtres qui s'adoraient et qui s'étaient privés de cet amour pour une question d'orgueil et d'*incommunication*. Émilie regardait son père dormir, appréhendant le moment où il allait se réveiller et la voir devant lui. Par où commencer ? Qu'est-ce qu'on a le droit de dire à un mourant et qu'est-ce qu'il ne faut pas dire ? Sa peur de ne plus pouvoir s'arrêter, si elle ouvrait son cœur et qu'elle lui disait les vraies choses, la paralysait. Elle ferma les yeux et pria, mais ne sachant trop qui prier, elle demanda de l'aide. Doucement le visage de Mathieu apparut dans son esprit, ainsi que le lui avait décrit le petit Alexis. Souriant, les yeux fermés.

« *Aide-moi, Mathieu, j'ai si peur... aide-moi,* O.K.? »

Le son d'une faible toux la sortit de sa méditation. Lentement, elle s'avança vers son père. Les yeux toujours fermés, il ne l'avait pas encore aperçue. D'une voix presque inaudible, elle murmura :

« Allô papa... c'est moi, Émilie ! Je suis là... »

Il tâtait le bord du lit pour trouver la douce main de son unique fille. Le cœur d'Émilie se serra, ses lèvres se mirent à trembler. Courageusement, elle déposa sa main sur la sienne, essayant en vain de retenir ses larmes qui pianotaient des gouttes chaudes sur leurs deux mains réunies. Péniblement, Julien souleva ses paupières lourdes. Par la mince fente des fenêtres de son âme, il contempla cette fragile petite fille dans ce magnifique corps de femme.

« J'ai manqué mon coup... dit-il, dans un lourd râlement. Hein, ma belle fille ? Viens, assieds-toi !... », tapotant le bord du lit, il l'invitait à s'approcher.

Émilie ne pouvait entrer dans cette zone d'intimité avec son père, ni avec tout autre mourant. Elle ne dit rien, puis approcha le fauteuil du malade, bourré de couvertures et d'oreillers comme pour y asseoir un bébé. Elle s'assit sur le bout de la chaise sans relâcher sa main, espérant qu'il ne reviendrait pas sur cette idée.

« Est-ce que tu as mal ? Veux-tu de l'eau ? As-tu froid ?

– Non... j'ai peur. J'ai peur de partir sans avoir pu réparer mes torts. J'ai peur qu'à cause de moi, tu ne sois jamais heureuse. J'ai peur que Mathieu.. ».

Il s'arrêta, le visage noyé de larmes, comme si les mots ne réussissaient pas à traduire sa douleur. Depuis trois jours, Julien visionnait le film de sa vie. Il en faisait maintenant le bilan, prenant sur lui tous les blâmes, toutes les responsabilités, toute la culpabilité.

« C'est ma faute si Mathieu s'est enlevé la vie. Comme Olivier, tu le crois, toi aussi... hein ? »

La question fatale, celle qu'Émilie avait si peur d'entendre, venait de frapper à ses oreilles comme le coup de maillet associé à la voix tranchante du juge qui s'écrie « coupable ! ». Parce que, oui, elle avait cru que Mathieu était mort à cause de l'abandon de leur père et, oui, elle avait souhaité qu'il meure à la place de son frère. La culpabilité devenait maintenant son lot. Elle pouvait choisir de faire semblant, comme ses parents lui avaient si bien appris, ou de dire les vraies choses une bonne fois pour toutes. C'était maintenant ou jamais ! Elle sentit la main de Mathieu sur son épaule, et cette pensée monta à son esprit : *« Parle, Émilie... le silence a détruit notre famille... parle, tu es capable. »*

« Oui, papa, j'ai cru que tu avais fait mourir Mathieu et que tu avais rendu maman malheureuse pour le reste de sa vie. J'ai aussi cru que tu m'avais abandonnée, que tu avais choisi Nancy à ma place, à la place de ta famille. J'ai cru que tu étais un égoïste et un salaud. Si tu savais comme je t'ai haï parce que tu me privais de t'aimer. Si tu savais comme j'ai souhaité ta mort et que là, aujourd'hui, elle est devant toi, et que je voudrais mourir avec toi pour récupérer ton amour. Tu m'as tellement manqué, papa ! »

Enfin, l'abcès était crevé ! Elle laissa tomber sa tête sur leurs mains toujours nouées. Leurs sanglots livraient en alternance un triste concert. L'homme qui s'était jugé si sévèrement venait d'entendre sa propre sentence... il devrait mourir en laissant derrière lui une petite fille qu'il avait oublié d'aimer.

« Et pourtant, je t'aime tellement... je vous aime tant, mes enfants, vous ne le saurez jamais ! Le jour où j'ai quitté votre mère, elle m'a dit que je le paierais cher, que je vous perdrais, que je perdrais votre amour. Elle m'a juré que jamais elle ne permettrait à Nancy de s'occuper de vous autres, de vous aimer. Jamais elle ne partagerait ses enfants avec une autre femme. "Qu'elle prenne mon mari si elle veut, mais pas mes enfants !" elle m'a dit ça à chaque fois que j'ai demandé de vous voir. Ce n'est pas pour blâmer ta mère que je te raconte ça, ma fille. Mais si tu dois m'en vouloir, je veux que ce soit pour les bonnes raisons. Tu peux m'en vouloir d'avoir été lâche et de ne pas m'être battu pour obtenir la garde partagée – la partie de notre vie ensemble qui nous revenait tous les quatre, tu comprends ? Ça, tu as le droit de m'en vouloir pour ça ! Pour ne pas m'être tenu debout et avoir défendu mes droits, ma dignité et pour ne pas avoir parlé en votre nom. Pour avoir acheté la paix et payer le gros prix d'une pension alimentaire, en croyant que ça apaiserait ma conscience et que ça comblerait le vide de mon absence. Tu peux m'en vouloir, mon ange, pour avoir cru que mon amour pour vous ne valait rien et que vous alliez vous en sortir mieux sans moi. Ça aussi, pour justifier ma faiblesse ! Tu as le droit de me haïr pour tout ça, mais je t'en prie, ne va plus jamais croire que je ne t'aimais pas. Mathieu, en s'enlevant la vie, m'a rappelé que j'avais échoué... que tout ce que j'avais fait en ne me respectant pas et en me taisant, c'était d'avoir brisé ou hypothéqué nos vies à tous. Je ne te demande pas pardon, Émilie, je ne peux pas te demander quelque chose que je ne peux pas faire moi-même. Si tu savais comme je t'aime, ma princesse... il n'y a pas une journée qui s'est passée, depuis que j'ai quitté la maison, sans que je pense à toi. Tous les soirs avant de m'endormir, je demandais à ton Ange gardien de veiller sur toi pour moi. »

Une nouvelle vague de sanglots secouait son corps meurtri, dénué de force. Maintenant, Julien ne pouvait plus continuer... une fatigue intense le ramenait tranquillement dans un profond sommeil. Couvrant son visage de son autre main, comme pour cacher sa honte et secouant la tête doucement, il murmura avant de s'endormir, *« j'ai manqué mon coup... »*

Émilie, la tête toujours appuyée sur leurs mains, recevait la confession de son père directement au cœur.

Elle l'avait bien entendu prononcer les paroles de Joshua *« Pas une journée ne s'est passée sans que je pense à toi... si tu savais comme je t'aime »*. Cette version des faits changeait tout le scénario. Ce qu'elle avait enregistré dans son cœur de petite fille résonnait faux maintenant : *« Votre père n'a plus le temps de s'occuper de vous autres, il faut qu'il s'occupe de sa princesse. On ne compte plus pour lui ! »* La princesse, c'était pourtant elle, avant... pourquoi son papa adoré avait-il choisi une autre princesse ?

Elle fourra le rembourrage imprégné d'une odeur de décrépitude dans la poche à linge, se laissa tomber dans le fauteuil et ferma les yeux pour réentendre le plaidoyer de Julien. *« je veux que tu m'en veuilles pour les bonnes raisons... »* Une compréhension soudaine monta à son esprit, *je ne connais pas mon père... il ne me reste que quelques jours ou quelques heures pour savoir qui il est !*

Au cours des longs échanges qu'elle et Joshua avaient eus lors de son séjour à Saint-Sauveur, celui qu'elle aimait lui avait fait reconnaître un droit très légitime. *« Tu sais Émilie, tu as le droit d'aimer ton père, même si ta mère n'a plus jamais été heureuse après son départ. Tu n'as pas à porter la croix de ta mère.»* Se rappelant ces mots, elle décida de s'accorder ce droit divin. *C'est mon droit! Il a raison, Joshua, je me suis privée pendant toutes ces années de son amour et je me suis fait un devoir de le haïr pour soutenir ma mère, maintenant je veux savoir qui est le vrai Julien, l'homme qu'il est vraiment et plus encore, je veux rencontrer son âme avant qu'elle ne parte vers sa Maison!*

Il était maintenant 4h00 du matin. Émilie réalisa qu'elle n'avait plus dormi sous le même toit que son père depuis 15 ans. Depuis tout ce temps, il n'était plus jamais venu la border! Elle se leva, posa un baiser sur son front brûlant et lui chuchota:

«Je vais dormir avec toi pour le reste de tes jours, papa! N'aie pas peur! Je suis là... juste à côté. C'est moi qui viens te border ce soir et, comme tu nous disais toujours en nous embrassant... *Bonne nuit, beaux rêves, et que la Paix de Jésus soit dans ton cœur!*»

Le répit d'Émilie fut de courte durée, puisque Julien se réveilla en crise de douleurs au lever du soleil.

La jeune femme sonna l'infirmière aussitôt, tentant gauchement d'offrir quelque soulagement à son père. Rien d'autre qu'une dose importante de morphine ne pouvait l'apaiser! Ce fut fait, soulageant de pair Émilie, qui ne pouvait supporter de voir souffrir ceux qu'elle aimait. Dès que l'effet du médicament se fit sentir, Julien repartit de plus belle dans un profond sommeil. Émilie s'apprêtait à descendre à la cafétéria, lorsqu'une silhouette apparut sur le seuil de la porte.

«Émilie, tu es là? Je suis contente de te voir!»

Maladroitement, Émilie s'approcha pour faire la bise à Nancy. Elle non plus, elle ne la connaissait pas et elle n'était pas certaine de vouloir la connaître maintenant. Ce moment en fin de vie de son père, elle le voulait à elle toute seule. Elle ne voulait pas partager... pas maintenant! Surtout, elle ne tenait pas à faire aucune confidence à Nancy et elle souhaitait ardemment que son père garde le secret de leurs échanges. Elles se relayeraient donc.

«Comment est-il ce matin? Hier, il était très agité, il t'a demandée plusieurs fois.

– Il est calme maintenant. Il vient de prendre une dose de morphine. Je te laisse avec lui et, si tu veux bien, je prendrai la relève vers midi. Mon *chum* s'en vient de Saint-Sauveur et nous aimerions avoir du temps à nous avec papa. Est-ce que cela te convient ?

– Tu peux prendre tout le temps que tu désires auprès de Julien. Je sais à quel point il a besoin de vous, ses enfants, pour partir en paix. Quand tu voudras, Émilie... je te laisserai la place. Allez, va te reposer un peu. On a encore quelques jours pénibles à traverser, c'est épuisant, tu verras... mais mon Dieu, je ne m'en plains pas. J'ai tant de peine à le voir partir et en même temps je ne veux pas le retenir. Il m'a tant donné, je l'ai tant aimé... c'est un homme merveilleux, ton père, Émilie, et il vous... »

Émilie l'interrompit. Venant de Nancy, ce témoignage ne faisait que remuer le ressentiment en elle. *Bien sûr, tu l'as eu pour toi pendant 15 ans... tu as eu beau l'aimer ! Tu l'avais à toi toute seule !* Émilie sentait une colère monter, une rivalité entre elles qui n'augurait rien de bon. Avant que les choses ne s'enveniment, elle se retira :

« Excuse-moi, Nancy, je suis très fatiguée et je n'ai pas la force d'entrer dans de grandes émotions encore ! Alors, à plus tard... Bye ! »

Une chambre d'hôtel attendait Émilie pour son plus grand bien. Épuisée, elle s'étendit toute vêtue sur le lit et s'endormit aussitôt. Vers 11h00, Joshua avait dû frapper plusieurs fois pour réveiller son amoureuse. En ouvrant la porte, il laissa tomber son bagage, enveloppant de ses bras aimants sa petite princesse au cœur brisé. Elle lui raconta, non sans peine, l'échange entre son père et elle. Joshua, touché et ému, lui flatta tendrement la joue.

« Je suis tellement fier de toi, mon amour ! Tu as réussi à t'affirmer et à parler avec ton cœur. Vois-tu, la porte vient de s'ouvrir pour votre guérison. C'est merveilleux !... Maintenant, je veux que tu manges un peu. Il y a un petit resto juste à côté, nous irons casser la croûte, et ensuite je t'accompagnerai auprès de ton papa. Je n'interviendrai pas, Émilie ; le travail d'accompagnement que je fais est très subtil. Au-delà des mots, je suis en contact direct avec son âme et son esprit. Les êtres de l'autre côté du Pont de cristal travaillent avec la Lumière pour aider son âme à trouver la porte de sortie. Je t'expliquerai ce qui se passe au fur et à mesure. D'habitude, je peux voir où en est le travail de « naissance ». Un peu comme un médecin peut mesurer les centimètres dans l'ouverture du passage. Ne t'inquiète pas, mon amour, ça va bien aller. Ce que tu as fait cette nuit est un premier pas vers votre libération. On va faire ça ensemble, ma grande ! J'aime qui tu es, Émilie Beaulieu !

– J'aime comment tu m'aimes, Joshua Brown ! Toi, dans ma vie, tu représentes tout ce que mon père aurait voulu me donner... j'en suis certaine maintenant. »

À 12h20, ils entrèrent sur la pointe des pieds dans la chambre du mourant. Nancy se leva rapidement, les invitant gentiment à sortir avec elle dans le corridor.

«Ça ne va pas du tout ! Elle s'arrêta pour pleurer, elle était sur le bord de la panique. Le médecin vient de l'examiner... selon lui, il ne passera pas la journée.

– Est-il encore conscient ? Il faut que je lui parle encore. Émilie s'agitait...

– Il part, il revient, il délire. Mais le pire, c'est qu'on ne sait jamais s'il va revenir, c'est ça qui est tellement stressant ! Il répète "la clôture est trop haute... la clôture, je ne suis pas capable de la passer, celle-là !"

– Et en ce moment ?

– Il est inconscient, il a de la difficulté à respirer et il souffre. Je voulais te préparer, Émilie. Ce n'est pas facile, là ! Tu vas être correcte ? Ça va aller ? Elle regarda Joshua...

– Ne vous inquiétez pas, madame... je vais en prendre bien soin. Je suis là pour accompagner l'esprit de Julien. Ça va aller. Vous pouvez nous laisser un peu avec lui ?

– Allez-y... allez-y ! »

Elle repartit vers le salon au bout du corridor, pleurant à chaudes larmes.

Pour mieux soutenir Émilie, Joshua avait eu vite fait de cacher le choc qu'il reçut en voyant la condition de Julien. Il s'empressa d'élever son regard vers ses corps subtils. L'aura grisâtre de Julien montrait des trous à plusieurs endroits et commençait à s'effriter. Le médecin avait raison, ce n'était plus maintenant qu'une question d'heures. Ce que Nancy appelait du délire n'en était point aux oreilles de Joshua. La clôture représentait une barrière à franchir. Une initiation, probablement la dernière, pour transcender l'ego et accéder à son état d'âme pure. Le petit roi se plaça à la droite de Julien et posa ses mains au niveau du chakra du cœur du mourant, invitant Émilie à se joindre à lui.

« Émilie, laisse simplement l'énergie de lumière couler à partir de ton cœur à son cœur. Visualise la lumière d'amour qui part de ton cœur et qui monte dans tes bras pour sortir au bout de tes doigts et se connecter à son cœur. Que la guérison de l'âme s'opère à travers l'amour inconditionnel. Essaie, pour quelques minutes, de mettre de côté le rôle du père que cette âme a joué dans ta vie ainsi que toutes les injonctions, les regrets et les blessures que vous avez vécus ensemble. Vois désormais Julien ton père comme ton frère universel, une âme qui retourne à la Source, qui rentre à la Maison. Invite-le à s'accueillir dans la mort, comme il aurait pu le faire dans sa vie. Invite-le à se pardonner et à quitter son enveloppe, sa vieille redingote usée qui ne lui sert plus. »

Émilie, dans sa nervosité, riait maintenant. Lorsqu'elle entendit « redingote usée », c'est un fou rire qui s'empara d'elle sans qu'elle comprenne vraiment pourquoi.

« Joshua, j'ai envie... est-ce que je peux aller faire pipi ? »

Sa candeur et sa simplicité fascinaient Joshua. Julien, l'air de rien, devait entendre sa petite princesse et sourire avant de traverser cette dernière barrière. Joshua savait que la prochaine étape allait être libératrice pour l'âme du mourant. Comme la dernière poussée... le dernier effort pour mettre l'enfant au monde.

Lorsqu'Émilie réapparut au chevet de son père, à sa grande surprise, ses yeux maintenant ouverts étaient tout brillants. Elle se prit le cœur à deux mains !

« Papa, tes yeux sont tellement beaux ! Que vois-tu ? »

Il répondit par un magnifique clin d'œil !

« Papa, on n'a pas fini notre conversation d'hier ! Je veux te dire quelque chose d'autre. Je n'ai rien à te pardonner. Tu as fait de ton mieux, tu ne savais pas communiquer. Et moi non plus, parce que maman a le même problème. On est tous *pognés*, nous les Beaulieu ! »

Émilie parlait maintenant en son nom. Tout ce qu'il ne pouvait plus dire, parce qu'il ne pouvait plus parler, elle le disait pour lui. Son regard disait à sa fille : *« tu as tout compris »*.

« Et puis papa, je veux que tu écoutes bien ce que j'ai à te dire et que tu emportes ces mots avec toi au paradis. Ils vont t'aider à traverser ta clôture ! »

Les yeux de Julien s'agrandirent, lui demandant *« comment sais-tu ? »*

« Papa, à côté de toi ici, c'est mon amoureux, Joshua... c'est le cadeau de ma vie ! Il est venu t'aider à traverser. C'est lui qui m'a expliqué ce que représentait la clôture trop haute. »

Julien, un peu perplexe, se tourna péniblement pour rencontrer le « grand manitou » ! Lorsque leurs regards se croisèrent, une étincelle de Lumière entreprit la reconstruction de l'aura de Julien. Le mourant, dans ses visites de l'autre côté de la rive, avait croisé l'âme de Joshua. Le sourire de compassion du passeur d'âmes le rassura, et il hocha la tête pour le remercier. Tout ce qu'il avait besoin de savoir pour franchir cette dernière barrière était que sa petite Émilie avait trouvé son âme sœur et l'amour qui lui avait tant manqué. Émilie, témoin de leur complicité, ne comprenait pas tout à fait ce qui se passait. Joshua lui fit signe que tout allait très bien.

« Papa, je vais maintenant te dire les mots que je veux que tu emportes avec toi. »

Elle se pencha sur l'homme qui fermait les yeux pour mieux entendre et savourer ce message angélique.

Doucement à son oreille, elle murmura :

« Je t'aime, papa... je t'ai toujours aimé au fond de moi et je t'aimerai pour l'éternité ! Va-t-en tranquille, je vais prendre bien soin de moi.

On n'a pas eu beaucoup de moments ensemble, mais celui-là, c'est le plus beau de ma vie. Veille sur nous de l'au-delà, O.K.? »

Laissant le père et sa fille dans leur plus grande intimité, Joshua était sorti pour aller chercher Nancy afin qu'elle assiste à l'envol de son amoureux. Lorsqu'ils entrèrent dans la chambre, Julien se préparait à livrer son dernier message. Les larmes qui coulaient sur ses joues lavaient son âme et libéraient son esprit de ses remords. Péniblement, il réussit à exprimer ces dernières phrases:

« Mathieu est là... il m'attend de l'autre côté de la clôture! »

Le cœur d'Émilie se dilata. Mathieu était là, comme elle lui avait demandé! Il venait à la rencontre de son père. La voix faible poursuivit:

« Lucie, pardonne-moi. Olivier, je t'aime, tu iras loin. Émilie, sois heureuse! Nancy, merci, prends soin de toi. Je vous aime! Que Dieu me pardonne! »

Il s'assoupit à nouveau. Chaque étape semblait lui demander une grande somme de force et de courage. Joshua invita Nancy et Émilie à se placer de chaque côté de Julien et à faire le pont au dessus de son corps, en joignant leurs mains. Les deux femmes les plus importantes de sa vie unissaient leur amour pour l'aider à passer de l'autre côté. Le Pont de cristal était maintenant prêt à recevoir l'âme pour sa traversée.

Ce rituel achevé, Nancy demanda à être seule avec son amoureux. À son tour, elle lui dit les dernières paroles qu'elle devait lui confier, et lui fit ses adieux. Elle le remercia pour tout l'amour et le bonheur qu'ils avaient partagés ensemble, l'embrassa tendrement et le laissa partir librement, mais non sans peine.

De retour au chevet de Julien, Joshua sentit le besoin de s'adresser cette fois-ci au père d'Émilie.

Émilie et Nancy, assises près du lit, furent témoins d'un des moments les plus émouvants et magiques de leur vie. Julien semblait inconscient, alors Joshua se pencha respectueusement, posa sa main droite sur son cœur et l'autre sur le sien et lui dit:

« M. Beaulieu, je vous apporte la bénédiction de Dieu. Mais d'abord, j'ai une demande à vous faire. »

Sur ces mots, l'homme ouvrit doucement les yeux.

« Voulez-vous m'accorder la main de votre fille Émilie ? »

Cet instant se cristallisa dans le cœur d'Émilie. Nancy n'avait rien vu de plus digne de toute sa vie. Julien rendit son plus beau sourire, ouvrit ses mains, invitant Émilie et Joshua à s'y raccorder, fit un signe affirmatif de la tête et, par une douce expiration, livra son dernier souffle à la terre.

« Je vous bénis au nom de Dieu, de votre âme et de la Lumière ! fit Joshua en traçant le signe de la croix sur le corps du défunt ! Allez... reposez-vous bien ! »

La Lumière, qui se trouvait l'instant d'avant dans les yeux de Julien, brillait maintenant de tous ses feux dans les yeux d'Émilie. Sous le Pont de cristal, leurs larmes formaient maintenant une rivière qui emporterait l'âme de Julien vers l'océan infini... vers sa nouvelle vie.

Joshua fut le seul à voir l'âme s'extirper du corps par le chakra de la gorge, signifiant ainsi sa guérison à travers l'énergie de la sagesse et de la communication. Les « DOUZE » Guides de Lumière encerclèrent le corps de Julien, élevant au centre leurs mains en forme de coupe. Émerveillé, le messager contemplait la lumière du Saint-Graal se fusionnant à l'âme dans son ascension.

15

Messagers de l'au-delà

Le chemin du retour offrait à Joshua une plage de ressourcement et de méditation. La longue route jusqu'à Saint-Sauveur ne lui pesait guère. Au contraire, le trajet lui permettait d'intégrer l'initiation que lui offrait cet accompagnement. Sa réflexion portait maintenant sur les « moyens » par lesquels il pourrait servir la Lumière.

Parallèlement, une partie de lui rêvait d'une vie bien simple. Depuis sa tendre enfance, les scénarios dramatiques, les deuils et les initiations se succédaient sur l'écran de sa vie. Joshua voulait aussi entendre parler de la vie, des naissances, des joies et de bonheur simple. Certes, l'accompagnement aux mourants et aux familles en deuil nourrissait son évolution et son cheminement spirituel, mais il apportait aussi son lot de tristesse. Il lui arrivait de penser à s'orienter vers l'enseignement du chant ou à ouvrir une école de musique. Et pourquoi pas une année sabbatique ? Dans cette phase de transition, Joshua réalisa que les éléments n'étaient pas en place pour lui permettre de faire un choix. Il devrait faire preuve de confiance et de patience. Pour l'instant, la vie lui offrait l'amour sur un plateau d'argent, il ne lui restait qu'à le déguster et en profiter. Cet amour qu'il avait espéré depuis si longtemps ! Émilie le rejoindrait dans quelques semaines et ce cadeau, il voulait le déballer, le goûter et le vivre jour après jour.

Ce matin-là, au cours de sa méditation, le petit roi sentit le besoin d'ouvrir le livre de Lumière. Ce qui le fascinait le plus chaque fois que la plume blanche se déposait sur la page ouverte, c'est qu'il ne savait en rien ce qui allait s'écrire et qui signerait le message. Il fut fort surpris par la visite de l'inconnue. La plume s'agitait avec une telle joie que Joshua se mit à rire ! *Mais qui est là ? Qu'est-ce que c'est, cette énergie ?*

Au lieu de mots pour lui répondre, des dessins se griffonnaient de toutes parts ! Des soleils, des étoiles, des magiciens, des nuages en formes de moutons, des sourires... tout se déballait à une vitesse incroyable. La main de Joshua, d'ordinaire peu douée pour le dessin, réussissait de façon assez surprenante à tracer tous ces symboles pleins de vie et de légèreté.

Soudain, tout s'arrêta ! Doucement, la plume blanche se posa au centre de la page et glissa doucement sur la feuille, comme si elle flottait !

Le chapitre de Sophie

Joshua résista. D'une moue sceptique, fronçant les sourcils, il se demandait s'il devait encourager l'esprit présent à continuer. Il ferma les yeux un instant pour ressentir les vibrations de cette présence impromptue avant de lui laisser enfin libre cours. Une odeur de fleurs des champs gagna son cœur. Comme si la fameuse Sophie lui offrait ce bouquet de fraîcheur, en symbole d'authenticité, pour gagner sa confiance.

Il posa de nouveau la plume blanche sur la feuille.

Merci de m'offrir votre plume, cher Joshua ! Excusez mon excitation, mais vous savez, ça fait tellement longtemps que j'attends ce moment ! De votre temps terrestre, ça fait cinq ans !

Écrire était un rêve que je caressais sur la terre depuis ma tendre enfance. À l'école j'adorais le français et les compositions. Les poèmes, les légendes, tout ce qui pouvait se lire, j'aurais voulu l'écrire !

Les gens qui ont parlé de moi après ma mort disaient que j'étais une fille super brillante et pleine de talents. Mon départ subit a été un choc autant pour moi que pour tous ceux que j'aimais. 18 ans, c'est jeune pour changer de trajectoire... pourtant, c'était mon chemin de vie. Un accident bête, que mes parents ont eu beaucoup de difficulté à accepter. Mais vous savez quoi ? Par amour pour moi et pour mon évolution, ils y sont arrivés. Je suis si fière d'eux et je les aime tellement ! Je viens souvent, dans la forme du papillon, leur dire que je vais bien et que je réalise mes rêves. Mon plus grand rêve ? Écrire un livre ! Je sais que vous ne pourrez pas me servir pour un livre au complet, mais pour un petit chapitre, accepteriez-vous ? Un jour, j'ai demandé à une dame de la terre si elle m'aiderait à réaliser mon rêve d'écrire. Je crois qu'aujourd'hui ce moment est venu ! Le plus extraordinaire, c'est que je sais que mon message sera lu par des tas de jeunes et que ça les aidera à avancer, et plus encore... à être plus heureux !

À ce stade-ci, Joshua sentait qu'il n'avait qu'à honorer le souhait de Sophie, qui respirait la pureté, la bonté et la sagesse. *Qui suis-je*, se dit-il *pour refuser une telle candeur, une telle lumière ?* Pour bien garder la communion avec l'âme, il ferma à nouveau les yeux et s'abandonna totalement à son récit. Aussitôt, il sentit un murmure à son oreille *« Merci. »* Une troisième fois, il posa la plume blanche sur une page toute neuve :

Le chapitre de Sophie

Lorsque j'étais sur la terre, j'aurais voulu écrire un beau livre. Un beau roman ! J'aurais voulu vous faire rêver et vous rendre la vie plus douce par mes récits. Aussi, j'aurais aimé écrire un livre qui m'aurait rendue célèbre et dont mes parents auraient été super fiers. Ça, c'était mon rêve terrestre... et il était bien légitime.

D'ici, je n'ai pas besoin de me valoriser par l'écriture, car je suis totalement détachée de l'ego et parfaitement heureuse dans le Jardin de l'Accomplissement. La force qui m'anime et qui me guide vers vous pour me glisser dans ce livre et vous rejoindre est tout autre ! La plume blanche sert maintenant la Lumière ! Alors, lisez bien, mes amis... ces mots s'adressent à tous les jeunes qui se retrouveront avec ce chapitre entre les mains. Mon message ne vous révélera rien que vous n'ayez jamais entendu. Sauf que l'amour que j'y mettrai pour rejoindre vos cœurs aura le pouvoir de vous sortir des ténèbres de la violence, de la dépendance aux drogues et à l'alcool et des pensées suicidaires. L'amour est tout ce qui compte et tout ce qui vous sauvera ! Si vos parents ou vos amis n'ont pas su vous aimer, vous reconnaître et vous valoriser... faites-le vous-même. Donnez vous cet amour inconditionnel !

Mon ami, mon amie, prends-toi par la main et regarde comme il faut au fond de toi ! Vois-tu la perle que je vois ? Vois-tu comme ton cœur est grand et plein d'amour ?

Vois-tu que tu peux faire une différence sur la terre, et que la violence envers les autres et envers toi-même ne feront que t'ensevelir davantage dans les ténèbres ? Sais-tu que tu peux faire confiance à la vie et à ta petite voix intérieure ? Sais-tu que tu as le pouvoir de changer « ton monde intérieur » et qu'après, tu pourras contribuer à changer le monde.

Moi, je le sais, parce que, de l'au-delà, j'ai une vision complètement différente de ce que tu crois que tu es. Moi, je vois en toi la bonté, l'intelligence, le courage et l'amour de la vie !

Ne te laisse plus tomber, mon ami... ouvre tes bras à la vie ! Je n'ai plus de corps pour le faire... mais j'ai une voix pour te dire ceci : « aime, aime, aime et profite de ce chemin d'évolution que tu t'es toi-même tracé. »

La porte de la mort est une porte que tu ne peux pas forcer ! Mais si, par détresse ou par maladie, tu crois que c'est la seule sortie vers la lumière, je te demande, avant de faire quoi que ce soit, de t'assurer que tu es allé te chercher toute l'aide qui est là pour toi. Il existe des remèdes pour tous les maux, et le plus grand, c'est l'amour !

Aime-toi !

Aime ceux que tu as choisis pour grandir, même s'ils t'ont fait du mal !

Aime ceux que tu aideras à grandir par ton seul rayonnement, car ils te permettront de t'affranchir !

Choisis le chemin de l'amour... c'est le plus doux ! Honore cette vie, elle t'appartient par droit divin !

Sophie

Une fille qui n'a jamais cessé d'aimer la vie dans le Jardin de l'Accomplissement.

Merci à tous les anges qui m'ont permis d'écrire ma Lumière à travers celle de Joshua ! Je vous aime !

Le message de Sophie ayant trouvé une voix, Joshua referma le livre de Lumière sans se questionner. Son cœur se nourrissait de la pureté et la simplicité de ce message d'espoir. Un sentiment profond de paix lui confirmait que l'âme de Sophie avait aussi réalisé son rêve, de l'au-delà.

Le lendemain matin, le même scénario se reproduisit. Au bout de sa méditation, Joshua reçut l'inspiration d'un autre esprit, cette fois masculin, qui s'exprima ainsi :

Salut la terre !

Je serai bref... autant que faire se peut pour moi. Je viens soutenir le message de Sophie. Pour ma part, j'ai forcé la porte... je souffrais d'une maladie mentale que je refusais de soigner. Peu de gens ont compris mon comportement et ma trajectoire. Ma mère est la seule dans la conscience humaine qui a « parfois » réussi à transcender le lot de mes souffrances, pour admettre que mon geste était porteur de message pour votre société en voie de perdition. Mais comment y arriver ? Que de jugements, que d'ignorance, que de violence !

Ouvrez vos œillères... connectez-vous à la Source ! Servez-vous des puissants moyens de diffusion que vous avez pour conscientiser et informer. N'ayez pas peur de dire les vrais mots, de parler des vraies choses ! Réveillez-vous... les maladies mentales prennent souvent racine dans le mal à l'âme ! Aidez vos jeunes en prenant soin de vous, d'abord ! Devenez plus conscients ! Le suicide n'est pas la seule forme d'autodestruction ! Regardez ce que vous faites à la planète ! Agissez ! Mon plus grand désespoir était d'observer l'inconscience collective, je me disais que l'on n'y arriverait jamais !

D'ici, je vois le monde autrement ! Je sais que la terre n'est pas la seule scène pour « Le jeu de Dieu ». Mais elle est la seule dont vous ayez la responsabilité, ici, maintenant ! Mon message s'adresse aux dirigeants de tous les pays, submergés par la peur de perdre leur « poste de contrôle » et obsédés par le pouvoir. Prêts à tout faire sauter ! Je leur souhaite de réaliser que le contrôle réside dans l'équilibre, la santé mentale, la spiritualité, la sagesse et surtout la non-violence !

Est-ce que ce message changera quelque chose ? Je n'en sais rien... j'ai tellement revendiqué de mon vivant ! Mais cette fois, puisque ma voix vous parvient de l'au-delà, peut-être lui donnerez-vous une certaine importance... je n'en sais rien !

La mort ne nous change pas... elle nous fait voir qui nous sommes vraiment ! Les nouvelles de meurtres, de guerres et de suicides vous ébranlent pour un temps, mais vous remettez vite vos œillères, car rares sont ceux qui osent agir et répondre à ce cri de détresse collectif !

Cessez d'avoir peur de la mort... vous mourez un peu chaque jour ! Entrez dans la vie !

Salut la terre ! Salut les humains ! Essayez de vous améliorer... je vous en prie !

Maxime...
Un esprit toujours en voie d'évolution !

Dans le livre de Lumière de Joshua se trouvaient côte à côte ces deux messages. Un yin et un yang ! Le message de Sophie était empreint d'énergie yin. Celui de Maxime étant plus tranchant et tout aussi conscientisant dans son énergie yang. Joshua eut soudainement l'impression que l'on ne mourait jamais pour rien, finalement ! Que chaque âme de l'au-delà avait probablement un message de Lumière à nous livrer. Plus tard, au cours d'une conversation sur le sujet avec Émilie, la jeune femme ne serait pas tout à fait d'accord. Elle croyait qu'il existait dans l'au-delà comme ici-bas (*l'au-d'ici*, comme elle disait) des êtres souffrants et inconscients, qui avaient davantage besoin de nos prières.

Le troisième matin, une dernière présence se manifesta. Joshua commençait à se demander s'il n'était pas la proie d'entités qui se glissaient à travers son canal. Par ailleurs, la lumière qui émanait de ces messages et de ces présences le rassura. Il laissa donc couler la plume blanche sur la page vierge.

Très chers amis,

Permettez-moi de me servir de ce merveilleux canal qu'est la Lumière de Joshua !

Il y a eu Sophie, Maxime, et me voilà également en soutien, pour compléter cette trilogie.

Laissez-moi vous parler de mon parcours terrestre, d'un accident qui me rendit quadriplégique à l'âge de vingt ans. Laissez-moi vous parler de mon projet de suicide et de la lutte que j'ai menée contre cette tentation, afin d'accomplir ma mission. Laissez-moi vous dire que de mourir naturellement, malgré toutes les souffrances de nos initiations, reste le chemin le plus doux vers l'ascension ! Il m'a fallu revoir tout le film de ma vie pour m'apercevoir que je n'aurais pas accompli, au plan évolutif, tout le chemin que j'ai fait, n'eût été de ma volonté de vivre et de faire du bien aux autres. Et c'est mon handicap qui m'a fait découvrir cet amour de la vie en moi ! La flamme dans mon cœur, qui me projetait constamment à redonner le goût de vivre à mes patients, n'aurait probablement pas existé si j'avais joui d'une santé parfaite, d'un ego intact !

On m'a surnommé le psychiatre en fauteuil roulant ! Soit ! Le fait est que j'ai donné ce que j'avais à donner et qu'un beau jour la mort m'a rendu naturellement la vie... sur un pont, avec ma bien-aimée ! Nous sommes montés dans la Lumière aisément. D'ici, nous continuons à servir la Lumière. La mort ne met fin à rien... ni à la mission, ni à l'amour, ni à l'évolution ! La mort nous propulse dans une conscience infinie !

Dieu n'abandonne aucune de ses brebis... aucune !

Ne forcez rien... vivez !

Jacques... dans le calme de l'âme.

Joshua, exténué, laissa tomber la plume blanche ! Le message du docteur lui renvoyait un miroir énorme. « Médecin de l'âme »... ce sont les trois mots qui montèrent à son esprit. Il remercia profondément cette présence lumineuse, lui promettant de transmettre son message à tous ceux qui perdaient espoir.

QUATRIÈME CYCLE

LA MISSION DE VIE

16

La mission de Paix

Cet hiver-là, les neiges furent abondantes et généreuses. Chez Émilie et Joshua, les conifères, entassant ces myriades de flocons sur leurs énormes branches, se dressaient fièrement, tels les rois de la forêt portant un riche manteau immaculé orné de diamants. À travers les carreaux de la fenêtre, Émilie souriait à ce tableau féerique dans lequel deux petits anges, bien emmitouflés dans leurs habits d'hiver, riaient à fendre l'air.

« Papa, papa... regarde-moi ! Je suis bon, hein ? Je peux patiner plus vite que toi maintenant !

– Tu es un champion, garçon ! Le meilleur au monde... on fait une course ?

– William, fais la course avec papa ! Oui... va vite, vite ! Moi, je suis trop petite, mais toi tu peux ! »

Joshua déposa Laurie dans son traîneau et s'aligna aux côtés de son fils. La petite cria de toutes ses forces :

« À vos marques, prêts ? Partez ! »

De tout son cœur, le petit William fonçait droit devant lui, les joues pourpres, les yeux écarquillés, le sourire éclatant. Il donnait tout ce qu'il y avait dans ce petit corps de 4 ans. Il se jeta à plat ventre sur la ligne d'arrivée, pour brandir du poing sa victoire contre son héros. La petite Laurie applaudissait son grand frère, son héros bien à elle !

« Bravo, Willy, tu es le champion ! Willy, c'est le meilleur ! »

Et se tournant vers la fenêtre du salon, elle s'écria :

« Maman, maman... c'est William qui a gagné ! C'est le meilleur ! »

Maman applaudissait son fils adoré, tandis que le vainqueur, aveuglé par sa tuque, cherchait ardemment le regard fier d'Émilie.

Joshua, assis sur la glace, feignait l'épuisement et le découragement. Hochant piteusement la tête, il tendait la main à son adversaire pour le féliciter. William se jeta dans les bras de son père pour l'embrasser et le consoler.

« Une autre fois, c'est peut-être toi qui vas gagner la course, papa ! Faut pas tu te décourages ! »

Joshua nageait dans le bonheur le plus tangible. *Les enfants, c'est la vie !* se dit-il. Jetant un œil à la fenêtre du salon, il contemplait, ému, les flammes du foyer valsant autour de la silhouette d'Émilie, porteuse de leur troisième enfant.

Il aura fallu un an pour que le projet du Centre se concrétise. Le rassemblement des soigneurs s'était déroulé de façon fluide et naturelle, comme si chacun connaissait sa place et son rôle dans la mission globale. Pour Sylvia, ce regroupement dans l'énergie concrétisait la guérison de son âme endeuillée. Mathilde, par sa force et son magnétisme, savait aller chercher les thérapeutes auxquels elle et Philippe souhaitaient se rallier. Le meilleur pédiatre à leurs yeux n'était nulle autre que Michelle, qui ne se fit pas prier pour se réunir à cette chaîne d'aidants. Sylvia et Michelle devinrent de grandes amies et de fidèles complices professionnelles. Toutes ces personnes se retrouvaient en quelque sorte à œuvrer en famille d'âmes sœurs de la mission.

William était né en même temps que le Centre. Émilie se consacrait toute entière à son rôle de nourrice et de mère. Joshua, de son côté, souhaitait goûter pleinement la paternité. Il ne s'investirait donc pas si vite dans sa nouvelle mission. Il continuerait d'écrire et d'accompagner des personnes en fin de vie, de façon spontanée. L'ambiguïté diminuait au fur et à mesure que la confiance en son canal médiumnique se renforçait. L'aide de Sylvia fut des plus précieuses pour lui permettre de définir clairement ce qu'il souhaitait faire de ses dons et de sa vie personnelle. Joshua apprit, par ses nouvelles programmations, à dresser ses frontières, à reconnaître ses zones de confort et à les respecter. Ainsi, il en arriva à se reconnecter à la Source, se dirigeant librement vers une approche qui lui convenait en tous points.

Joshua comprit rapidement que l'essence des messages produisait des guérisons à l'âme et propulsait les êtres en transition vers une nouvelle vie. Ces messages devaient servir à l'évolution de la conscience humaine, en autant que les êtres concernés étaient prêts à s'investir dans ce chemin de guérison. Joshua refusait l'étiquette de sauveur et de guru. Souvent, il se demandait pourquoi les humains cherchaient éperdument à l'extérieur ce qui se trouvait si abondamment à l'intérieur d'eux-mêmes. D'où venait ce besoin d'aduler, de vénérer, de suivre un chef, un Maître, pour finir très souvent par le crucifier, avant d'en élire un autre. L'histoire de Jésus ne nous avait-elle pas servi à comprendre ? C'est à partir de cette réflexion qu'il choisit d'enseigner, de démystifier et de remettre à chacun sa responsabilité et son pouvoir de choisir, de s'éveiller et d'évoluer.

Un jour, le messager réalisa l'immense privilège qu'il avait d'accompagner ces âmes vers la vie après la mort. Ce jour-là, il convoqua les «DOUZE» Guides de Lumière par le biais de l'écriture automatique afin de rallier toutes ces énergies en lui et entrer dans sa mission de vie.

Lettre à mes Douze Guides de Lumière

J'invoque l'intelligence des mes douze énergies de Lumière pour une guidance dans ma mission de vie. J'ai besoin de vous réunir ici dans mon livre de Lumière afin de m'éclairer sur la façon concrète et les moyens que je dois développer pour accomplir cette mission terrestre. Je consulte également mes mémoires anciennes qui contiennent les détails de mon contrat avec Dieu dans cette incarnation. Je souhaite recevoir des réponses claires à mes questions au cours de cet entretien. Je m'incline respectueusement devant la Source et j'accueille, le cœur rempli d'amour, votre essence.

Après une pause de douze minutes, les «DOUZE» prenaient place dans le champ énergétique de Joshua. Il fut accueilli dans la chaleur du Guide de l'AMOUR.

« Nous sommes avec toi dans la plus pure énergie d'amour inconditionnel ! dit-il.

– Qu'est-ce qui te tracasse ? s'empressa de demander le Guide de l'INTELLIGENCE.

– Eh bien, voilà... je cherche à savoir comment faire ce que j'ai à faire. »

C'est le Guide de la DÉTERMINATION qui prit alors la parole :

« Agir, Joshua... agir est la clé de toutes les grandes réalisations. Pour faire ce que tu as à faire, l'indice est de t'y sentir le plus à l'aise possible – transmettre le message qui est en résonance avec ton être tout entier. Laisse-moi à mon tour te poser une question : Où te sens-tu le plus confortable ? Je te parle d'un lieu physique. Dans un bureau ? Dans ta voiture ? Dans ta maison ? Dans un hôpital ? Dans... »

Joshua avait saisi :

« Sur une scène, répondit-il sans hésiter.

– Sur une scène ? Intéressant ! Puisque tu ne veux plus chanter, qu'est-ce que tu peux faire sur une scène qui te permettrait de livrer ton message, de partager tes dons ?

– Raconter des histoires ?...

– Ah ! Des histoires... je pourrais t'aider à les rendre tellement vivantes, s'exclama le Guide de la CRÉATIVITÉ. Les humains adorent les histoires, et les anges aussi !

– J'aurai besoin d'aide.

– Nous sommes là, Joshua... tu peux toujours compter sur nous ! reprirent la FORCE et le COURAGE.

– Et n'oublie pas que je suis l'un de tes guides, ici, les plus importants pour cette mission ! intervint le CHARISME. Souviens-toi toujours, Joshua, que l'énergie charismatique ainsi que la BEAUTÉ n'appartient pas à la personnalité, mais bien à l'âme. C'est une qualité du cœur qui ne se développe pas sur les bancs d'école. Je nais avec vous ! »

Joshua recevait ces lumières en lui et se sentait bien. Il put affirmer résolument :

« Je me sens entièrement équipé en vue de répandre la parole qui fait du bien, qui donne espoir ! Je raconterai des histoires de vie, de guérison, d'amour. C'est maintenant très clair !

– Tu n'oublies rien, petit roi ? »

Joshua s'avança pour voir qui avait parlé...

« Ne m'oublie pas, car tu auras grand besoin de moi pour cette mission ! Sans moi, la FOI, ton message ne percera pas la conscience individuelle et collective. Les humains sont à la recherche de démonstration et de sensationnalisme... tu verras, nous serons mis à l'épreuve ! Assure-toi que chacune de tes paroles soit soutenue par moi... ta Foi ! Et n'oublie pas, chacun la porte en lui. Le but n'est pas de donner ta foi aux autres, mais de les aider à découvrir la leur propre en eux-mêmes. Allez, maintenant, va transmettre ta lumière. »

Une fois de plus, Joshua referma le livre et déposa la plume blanche, le cœur rempli de confiance et d'espoir. Au bout de ce tunnel d'incertitude, brillait maintenant un phare étincelant. *Tout prend forme, tout prend sa place, tout est parfait !...* se dit-il

17

Le grand voyage

C'est le printemps qui vit naître la petite Éloïse. Un troisième enfant en parfaite santé, mignonne comme tout. William, du haut de ses cinq ans, deviendrait maintenant le héros de ses deux petites sœurs. Pour Laurie, ce ne serait pas aussi facile de vivre ce partage, mais elle pourrait compter sur l'attention particulière de ses parents, qui allaient lui assurer sa place de choix dans leurs cœurs et préserver son rôle unique. Joshua et Émilie formaient un couple de parents exceptionnels. Attentifs aux réactions et aux comportements des enfants, ils les enveloppaient de leur amour et de leur soutien.

Joshua adorait son rôle de messager orateur et il excellait dans l'art de raconter. Ses conférences étaient courues, et lui-même sentait l'énergie de guérison faire son œuvre à chaque rassemblement.

La puissance vibratoire des groupes agissait en force pour opérer des guérisons massives dans l'inconscient collectif. Souvent, le messager se retrouvait à travers l'audience à écouter les récits et les enseignements qui sortaient de sa bouche. Dans ces moments-là, Joshua savait que les «DOUZE» jouaient leurs rôles.

Ce soir-là, il diffuserait ses enseignements à plus de mille personnes. Comme avant chaque conférence, il se connectait à la Source, répétant un rituel d'alignement et de centration. Cette fois, un sentiment étrange l'habitait. Une fébrilité qu'il ne réussissait pas à justifier, une sorte de pressentiment que quelque chose d'important allait se produire. La présence d'Émilie le rassurait chaque fois qu'elle pouvait se libérer et assister à ses conférences.

« Ne t'en fais pas, mon amour ! Tout va bien se dérouler. Tu le sais, c'est ce trac qui te donne des ailes à chaque fois. C'est l'adrénaline nécessaire aux vibrations que tu animes ! Fais confiance... je serai en première rangée, sur ta gauche. D'accord ? »

Émilie l'embrassa sur le front et caressa son visage tendrement. Plus Joshua entrait dans l'action, plus sa mission se dessinait clairement dans son esprit – une mission de Paix, voilà ce qu'il réalisa en toute simplicité. Propager la Paix dans notre monde tourmenté et avide de pouvoir. Le thème de la conférence portait sur l'amour inconditionnel et la paix dans le monde. Le messager clôtura son partage par cette phrase symbolisant la non-violence, prônée par son modèle spirituel, Mahatma Gandhi :

« Œil pour œil rendra seulement le monde entier aveugle »

La foule, soulevée par ce message d'espoir et de foi, applaudissait chaudement le messager. Au cours de sa carrière de chanteur, Joshua avait connu cette sensation euphorique provenant des ovations debout. Mais ce qu'il vivait maintenant était encore plus gratifiant, puisqu'il recevait cette grâce en hommage à la Lumière. Ce sentiment d'unicité avec la foule remplissait son cœur et son âme. Il ne se sentait ni en avant, ni au-dessus de son auditoire. Dès lors qu'il prononçait la première phrase et jusqu'à la dernière parole, Joshua sentait cette unification, ce rassemblement de toutes ces âmes en quête d'un monde de paix et d'amour.

Pendant qu'il s'inclinait respectueusement, remerciant son auditoire, un homme descendit des gradins et s'approcha de la scène. Joshua se pencha vers lui pour entendre sa question. Le rideau tomba, tout devint noir !

Descendant le long corridor jusqu'à sa loge, Joshua n'entendait plus les bruits de la salle. Il sentait une légèreté dans ses membres et une paix intérieure indicible. Ses pas se faisaient longs et lents, comme si tout était au ralenti. Cet état de transe spontanée lui rappelait l'expérience de sortie de corps qui l'avait amené droit devant les «DOUZE». En ouvrant la porte de sa loge, une Lumière venant d'ailleurs, une Lumière qu'il n'avait jamais vue auparavant, jaillissait du miroir devant lui, baignant son corps et son aura d'un bien-être indescriptible. Joshua se sentit alors léviter, flotter, puis passer à travers les murs de l'édifice pour suivre cette force d'attraction, cette Lumière immaculée! Regardant derrière lui pour voir la terre s'éloigner de sa trajectoire, il remarqua qu'un interminable fil d'argent se déroulait à partir de son cœur jusqu'à la terre. Aucune question n'habitait son esprit, comme si ce voyage était prévu dans le Grand Plan, comme s'il avait rendez-vous avec la Source! Un sentiment de liberté totale le rapprochait sans cesse de cet Amour.

Soudain, un tunnel s'ouvrit comme un entonnoir devant lui. Instinctivement, il prit une profonde inspiration et plongea les yeux fermés dans le cylindre. Sa vitesse de croisière se multiplia par cent. Des bribes de conversation lui parvenaient de gauche à droite, l'écho de voix lointaines résonnait comme dans un rêve.

« Éloignez-vous... ne restez pas là.

– Y a-t-il un médecin dans la salle?

– Appelez une ambulance, quelqu'un, vite... »

Joshua réalisa soudainement le phénomène des vies parallèles. Tandis qu'il donnait une conférence, il pouvait tout aussi bien, en se dédoublant, accompagner une âme en voie de transition. Le passeur d'âmes se laissa guider vers les voix devenues de plus en plus distinctes. Lorsqu'il vit tous ces gens affolés cernant le corps inerte sur le sol, il se fraya un chemin jusqu'à l'homme:

« Laissez-moi passer, s'il vous plaît... je peux aider, madame, je vous en prie, lais... »

En posant sa main sur l'épaule de la femme, il s'aperçut que celle-ci passait à travers la matière, ainsi que son corps qui traversait tous ceux qui se trouvaient sur son passage. Arrivé devant la victime, il s'arrêta net. Stupéfait, Joshua aperçut son propre corps allongé par terre en train de mourir au bout de son sang. Émilie, agenouillée devant lui, soutenait sa tête en tenant fermement un vêtement sur l'hémorragie qui giclait entre sa gorge et son cœur.

« Mon Dieu... mais que s'est-il passé ? » questionna-t-il.

Son dernier souvenir était celui d'un homme venu s'adresser à lui devant la scène, lorsque le rideau tomba... ensuite, ce fut la noirceur totale.

« Émilie, ne pleure pas mon amour, je suis ici... ce n'est pas moi qui suis couché là. Regarde, je suis là. Quelqu'un peut-il me dire ce qui se passe ? »

Les policiers et les ambulanciers arrivèrent en trombe, se précipitant sur le corps inanimé pour lui administrer les premiers soins. À une vitesse incroyable, ils le glissèrent sur la civière pour courir vers l'ambulance, Émilie, accrochée au brancard... Joshua complètement sidéré. Derrière lui, deux policiers interrogeaient un homme, probablement le témoin le plus près de la scène, puisque son habit portait des taches de sang. Joshua se retourna pour entendre ce qui lui était arrivé :

« Calmez-vous monsieur, tranquillement, prenez votre temps. Qu'avez-vous vu ? »

L'homme, visiblement en état de choc, parlait à une cadence saccadée, même si son récit semblait tout à fait cohérent.

« Je venais d'enfiler mon manteau, et ma femme applaudissait encore M. Brown, lorsqu'un homme est descendu dans l'allée centrale en courant. Il s'est avancé vers la scène, Joshua s'est penché vers lui avec un beau sourire, et le coup de feu a retenti ; il est tombé par-derrière, et l'homme s'est enfui par la porte de secours, là sur le côté. »

Maintenant qu'il avait réussi à tout raconter de sang-froid, l'homme au visage bienveillant se mit à trembler de tous ses membres. Sanglotant, il tomba dans les bras du policier qui l'amena doucement vers un siège, avant qu'il ne s'écroule. D'autres ambulanciers s'occuperaient de lui tandis que les policiers lançaient un appel d'urgence au quartier général, après avoir rapatrié trois descriptions de l'agresseur, qui convergeaient dans le même sens. Un homme armé et dangereux fuyait dans les rues de Montréal.

Joshua aurait pu, mieux que quiconque, tracer le portrait-robot de son assassin, puisque son visage restait imprégné dans sa mémoire, comme la dernière scène avant que le rideau ne tombe. Il se rappela également ce sentiment bizarre, ce mystérieux pressentiment juste avant la conférence.

La salle fut évacuée, les policiers filèrent à la recherche du tireur fou, seul Joshua restait là immobile, essayant de comprendre le sens de cette initiation. Il ne cherchait ni à rapatrier son corps, ni à poursuivre son agresseur, ni à consoler Émilie. Il voulait comprendre, savoir, choisir ! Aussitôt que ces formes-pensées prirent naissance en lui, il se retrouva à nouveau dans le tunnel. Cette fois, les sons et les échos remplissaient son esprit de compréhension et de clarté.

« C'est ça ? demanda-t-il... c'était mon heure ? Les enfants, Émilie, Mathilde ! Ma mission... mais je ne suis pas prêt ! »

Il vérifia à nouveau. Le cordon d'argent suivait toujours !

Je dois rester calme, se répétait-il sans cesse. *Ce n'est pas grave, c'est l'amour qui guide tout... je n'ai pas peur ! J'ai le pouvoir de choisir, de revoir mon contrat avec Dieu ! Aidez-moi, Seigneur... aidez-moi à vivre cette mort sereinement si tel est mon destin.*

Au bout de cette course, Joshua se retrouva dans le parc où il s'était réfugié ce matin du 15 septembre 1974, après avoir assisté, impuissant et terrorisé, au meurtre de sa mère. Il s'avança, le cœur battant, vers le banc où Mathilde l'avait recueilli. Joshua devenait témoin de cette horrible scène, occultée dans son esprit d'enfant de 8 ans. Profondément touché par la détresse du petit Joshua, il fut à la fois émerveillé par le courage et la lumière de cet être si fragile et si beau !

Que signifiait la répétition de ce scénario de violence ? Pourquoi donc maintenant, 25 ans plus tard, le destin lui rappelait-il son impuissance devant le sang qui coule et la vie qui s'enfuit ? Et ses enfants... pourquoi ?

Sur ces questions, il se retrouva auprès de William, dormant paisiblement dans la chambre que Mathilde lui avait précieusement aménagée et décorée avec les jouets de Joshua. Sa petite couronne gisait là sur la table de chevet. William l'avait déposée sur un dessin qu'il s'empresserait de lui montrer le lendemain matin. Joshua s'avança pour contempler, ému, le tableau de son fils : un petit garçon portant une armure et la couronne du Petit Roi sur sa tête, une épée aussi grande que lui à la main. En deuxième plan, la silhouette de Joshua vêtue d'un long manteau sans couleur, transparent. Son œuvre était signée *« William le soldat de papa ! »*

Comme s'il se penchait au-dessus d'un miroir, Joshua appuya sa tête sur celle de son fils chéri :

« Je ne sais pas si je reviendrai avec mon corps ou non, William... mais je reviendrai, c'est promis. Je suivrai ta vie et je te montrerai le chemin de la paix, de l'amour et de la foi. Tu seras toujours mon soldat de paix. La haine tue, mon enfant, mais l'amour ne meurt jamais ! Ne l'oublie pas et n'oublie pas que je t'aime et que je serai toujours là pour toi. »

Il passa ensuite par la chambre des fillettes blotties l'une contre l'autre. L'image de ces anges dormant au paradis attendrit son cœur, lui arrachant quelques larmes. Il remonta la douillette dans leurs cous en les embrassant tendrement sur le front. Les bénissant, il leur laissa le même message qu'à leur grand frère.

Il lui était difficile de comprendre cette sérénité qui l'habitait en cet instant où tout aurait dû être affolant et déchirant. Une autre citation de Gandhi lui vint à l'esprit :

« Vis comme si tu devais mourir demain. Apprends comme si tu devais vivre toujours. »

La sonnerie du téléphone le sortit de sa réflexion, attirant son attention vers la chambre de Mathilde et Philippe. L'homme répondit calmement, habitué qu'il était de recevoir des appels dans la nuit. Joshua colla son oreille contre la porte :

« Oh ! Mon Dieu ! Oui... oui, Émilie ! Elle vient tout de suite ! »

Les gémissements de Mathilde crevaient le cœur du petit roi ! Cette femme qui lui avait redonné la vie, qui l'avait amené au sommet de ses rêves et qui commençait à peine à goûter un bonheur simple ! *Pourquoi ? Je veux comprendre le Grand Plan, je veux savoir où je vais... sur quel niveau je peux poursuivre ma mission de paix. J'ai besoin d'aide ! Ô Lumière Divine, éclaire-moi !*

À son propre chevet, il retrouva Émilie. À côté d'elle, son corps comateux ne l'intéressait pas autant que sa bien-aimée, sa femme adorée. Il le regardait comme on regarde un vêtement défraîchi, se demandant si on le restaurera et si on le portera encore. Pour l'instant, le plus important pour lui était de créer un contact avec Émilie. Allongée sur le dos près de son amour et le tenant doucement par la main, elle priait :

« Mon Dieu, donnez-moi la force d'accepter la volonté de Joshua. Je ne suis pas prête, vous le savez ! Nous avions encore tellement de choses à vivre ensemble. Je ne sais pas ce que je ferai sans lui, je n'ai pas cette force en ce moment. Je vous en prie, mon Dieu, donnez-nous encore un peu de temps. 33 ans... c'est si jeune. Les enfants... »

Elle sanglotait maintenant. Ne sentant plus le courage de prier, elle se permit cet instant de découragement. Joshua s'approcha dans sa Lumière et prit son visage entre ses mains.

« Je suis là, mon amour... Sens la chaleur de ma Lumière sur ton visage. Je suis avec toi. Je vais revoir mon contrat de vie avec Dieu. Je ne sais pas si je reviendrai dans mon corps, mais je reviendrai te voir. Ne t'inquiète pas. Tout va bien aller. Le meilleur sera, je te le promets. Je ne te laisse pas tomber. Je vais voir la Lumière. Aie foi ! N'aie pas peur, quoi qu'il arrive, tu ne manqueras de rien... dors maintenant ! Repose-toi ! »

Émilie sentit une douce chaleur sur ses joues mouillées ainsi qu'un grand calme au niveau de l'abdomen. Le contact s'était installé entre leurs âmes. Doucement la tension se relâchait. Épuisée, elle s'endormit.

Une musique céleste attirait maintenant Joshua vers le long corridor blanc.

18

Les êtres de Lumière

Arpentant le corridor dans l'attente des êtres de Lumière, Joshua invoquait tous les esprits susceptibles de lui venir en aide dans ce passage. Plusieurs questions cherchaient leurs réponses dans son esprit. Soudain, le bruit de pas feutrés lui parvint de l'autre bout du corridor. Laurie avançait doucement vers lui. Entourée d'une aura dorée, pieds nus et vêtue d'une magnifique tunique orangée, elle tenait entre ses mains le livre de Lumière. La joie immense de revoir sa mère dépassait tout entendement. Leurs bras s'ouvrirent grand pour se bercer dans une longue et douce étreinte.

« Je t'attendais, mon fils ! Nous savions que tu viendrais aujourd'hui. Tous ceux que tu as aimés et que tu as aidés à traverser de l'autre côté de la rive ont été convoqués pour cette réunion. Dans l'énergie, ils forment en ce moment un cercle de méditation et de prière pour toi. Ton choix se fera à partir de ta lumière, Joshua. Personne ici, ni sur la terre, ne peut te dire sur quel plan tu dois poursuivre ta mission.

– Mais j'ai demandé aux êtres de Lumière de m'éclairer pour faire ce choix ! Je suis tiraillé entre les deux rives. J'ai tellement de questions sans réponse.

– Pour ça, tu auras de l'aide. Une réunion est prévue avec trois maîtres spirituels. Des êtres qui ont marqué l'histoire et qui ouvrent la voie à ceux qui choisissent de servir et de consacrer leur vie à répandre la paix sur la terre. La violence ne diminue pas sur cette belle planète, mon ange, nous sommes en mesure de le constater d'ici ! Les agressions contre les femmes et les enfants détruisent des milliers de vies chaque jour. Les guerres se multiplient, les jeunes se suicident et les humains tentent toujours d'ignorer ces fléaux. Ta mission s'est dévoilée à toi ce soir, durant cette conférence, Joshua. Ton agresseur, sans le savoir, portait aussi un message. Ton engagement pour la propagation de la non-violence a résonné jusqu'ici, dans le cœur de Dieu. »

Joshua demeurait songeur. Oui, il souhaitait consacrer *sa vie* à répandre la paix, mais devait-il la sacrifier ? Ses enfants avaient aussi besoin de lui pour grandir dans la confiance et l'amour. Ils étaient si petits... et Émilie, si grande ! Cheminer avec cette femme merveilleuse le faisait aussi évoluer.

Laurie l'embrassa sur le front et lui remit son livre de vie.

« Tu trouveras dans ce livre cette communion avec ta Lumière. Ton histoire y est inscrite à partir de ton contrat avec Dieu et jusqu'à aujourd'hui. Tu poursuivras en y écrivant tes dialogues avec les Maîtres spirituels. Allez, je te laisse avec eux. Dieu t'admire, Joshua, ne l'oublie pas. J'aime qui « Tu Es », mon fils ! Souviens-toi que tu es libre. Libre d'œuvrer sur la terre comme au ciel. Que tu choisisses de réintégrer ton corps physique et de poursuivre ta mission sur la terre ne me fera point souffrir. Je te regarderai repartir sans heurt puisque je sais maintenant que la séparation n'existe pas dans l'entendement divin. »

Joshua ressentait une telle force dans ce message de Laurie. Le sentiment d'une totale liberté émanant de ces paroles lui ouvrait grandes les portes de sa prison. Appuyant leurs fronts l'un contre l'autre, ils laissèrent couler la Lumière de Joshua.

Aussitôt que Laurie eut disparu de sa vue, Joshua s'installa dans le fauteuil blanc et s'empressa d'ouvrir précieusement le livre sacré...

Il lut :

Brave messager,

Artisan de la Paix...

Nous sommes avec toi ! Nous connaissons ton angoisse et ton ambivalence. Au moment où tu liras ces lignes, tu seras entre la vie et la mort ou entre la mort et la Vie, dépendamment de quel côté de la rive tu te trouveras. Pour favoriser l'ouverture de cette rencontre, nous t'offrons une prière. Elle fut écrite il y a près de 800 ans par François d'Assise. Sa lumière continue de soigner les âmes et d'ouvrir les consciences à l'amour divin. Lis cette prière à voix haute afin que les vibrations de la sagesse de ton âme cristallisent ces paroles dans le cœur de Dieu.

Prière de la Paix

Seigneur, fais de moi un instrument de Paix
Là où est la haine, que je mette l'Amour
Là où est l'offense, que je mette le Pardon
Là où est la discorde, que je mette l'Union
Là où est l'erreur, que je mette la Vérité
Là où est le doute, que je mette la Foi
Là où est le désespoir, que je mette l'Espérance
Là où sont les ténèbres que je mette la Lumière
Là où est la tristesse, que je mette la Joie
Ô Seigneur, je ne cherche pas tant
À être consolé qu'à consoler
À être compris qu'à comprendre
À être aimé qu'à aimer
Car c'est en donnant que l'on reçoit
C'est en oubliant que l'on se retrouve soi-même
C'est en pardonnant que l'on obtient le Pardon
C'est en mourant que l'on ressuscite à la Vie éternelle.

François d'Assise

Cette dernière phrase résonna dans la conscience du messager comme une vérité absolue. Il relut trois fois La Prière de la Paix, afin que toutes les cellules de son corps, son âme et son esprit intègrent entièrement cette consécration.

Il tourna précieusement cette page pour découvrir que les trois suivantes portaient un message distinct.

Souviens-toi !

Ferme les yeux et souviens-toi
Vois ce tout petit bébé sortant du ventre de ta mère
Vois la Lumière blanche se lover dans ce corps
Ressens l'intelligence innée s'installer dans l'Esprit
Et rappelle-toi Qui Tu Es !
Entends ma voix au-delà des frontières humaines
Expérimente cette naissance consciente
Souviens-toi !

Le contrat

Tiens, prends ce parchemin et déroule-le doucement
Sans avidité, sans peur, relis le contrat
Tu avais choisi de t'incarner pour vivre l'AMOUR
Courageusement, tu as attiré vers toi les initiations nécessaires
Consciemment, tu as suivi le chemin du service
Ta mission ? Servir l'AMOUR
Répandre l'AMOUR
Être AMOUR !

Le pouvoir de choisir

Tu es Maître à bord... Ta destination t'appartient
Les chemins que tu choisis sont les tiens
Te voilà au carrefour de cette vie avec, devant toi, autant de choix que d'avenues
Le nord, le sud, l'est ou l'ouest !
Tu peux réemprunter le chemin d'où tu viens, avancer droit devant toi, tourner à gauche ou à droite
Peu importe la voie que tu choisiras, tu ne peux régresser...
Car l'avancement est en Toi ! Le chemin, lui, ne change pas, ce sont les rencontres et les expériences qui changent
Utilise ton libre arbitre !

Joshua ferma les yeux, pour ressentir profondément ce dernier message. Sa Lumière parlait clairement, simplement. En ouvrant les yeux, il aperçut une silhouette se découpant au loin et s'approchant vers lui. Cette scène se déroulait dans un désert de sable blanc comme neige, le vent régulier venait du sud et le soleil cuisait le sol aride. Le petit homme aux lunettes rondes, drapé dans une étoffe ivoire s'avançait vivement vers lui, un manuscrit à la main. Le soleil aveuglant l'empêchait de distinguer ce personnage à l'aura arc-en-ciel. Ce n'est que lorsqu'il joignit les mains, en signe de Paix, que Joshua reconnut, ébahi, le Mahatma Gandhi. Il se prosterna aussitôt devant le maître spirituel.

« Je t'en prie, mon frère, relève-toi et viens dans mes bras ! Je suis le reflet de ta Lumière, rien d'autre ! Ce que tu admires en moi, tu le possèdes en toi... sinon tu ne pourrais l'apercevoir. Je me prosterne pour vénérer Dieu, Source de vie et de création. »

Fraternellement, les deux hommes se firent l'accolade. Timide, Joshua se recula pour entendre le message de son mentor. Il avait tout lu sur Gandhi et lui vouait un culte sacré. Le courage et la foi du chef spirituel avaient inspiré son cheminement intérieur, plus particulièrement sa dernière conférence. Il comprenait maintenant que le Grand Plan se dessinait parfaitement devant lui.

« Nous avons choisi la même mission, mon frère... la Mission de Paix ! Nous sommes des milliers d'âmes à œuvrer pour la Paix. N'est-ce pas le souhait de tous... vivre dans la Paix et l'Amour ? N'est-ce pas le souhait de Dieu, de Bouddha, Allah, et tous les Dieux de toutes les religions de voir le monde vivre en Paix, dans l'égalité et l'harmonie ? Pourtant, tu connais la même fin que moi, que Martin Luther King, que Jésus... En quelle année sommes-nous, dis-moi ? »

Joshua ne savait pas trop quoi répondre. Après cinq secondes de silence, il se lança :

« Nous n'avons pas beaucoup évolué, n'est-ce pas ? La violence ne cesse de prendre du territoire et les guerres sont de plus en plus nombreuses. Au cœur des familles-mêmes. Des hommes tuent leur femme et leurs enfants. Les enfants se tuent entre eux dans les écoles. La drogue, l'alcool, la prostitution empoisonnent nos jeunes. Des femmes et même des enfants sont utilisés comme simples instruments de plaisir ou d'asservissement. C'est le chaos ! Les plus grandes puissances mondiales prônent encore la peine de mort et utilisent tous les moyens pour arriver à leurs fins. On tue encore au nom de la religion. On exclut l'autre, le différent, l'ethnie voisine, ou on la "nettoie" et l'extermine. La planète elle-même est victime d'inconscience et de violence. La voracité, la rapacité, la surconsommation menacent son équilibre. L'air, l'eau, la terre sont altérés. Les cycles naturels sont bouleversés, et l'on ne sait si une catastrophe générale n'obligera pas un jour l'espèce humaine à migrer pour sa survie vers d'autres cieux… Quelle serait ma mission, maintenant ? Pourrais-je mieux servir la Source à partir de l'au-delà ? »

Le petit géant se gratta l'arrière de l'oreille et sourit à Joshua :

« Les problèmes du monde entier sont trop grands pour n'appartenir qu'à un seul homme. Ils appartiennent à tous les hommes ! Comme je l'ai déjà dit, "la loi de l'amour se montre plus efficace que ne l'a jamais été la loi de la destruction." Alors, tu ne dois pas désespérer. Par la puissance de l'amour, tu renais à la vie. Joshua, où que tu ailles, quel que soit le corps que tu revêtiras... tu vivras éternellement dans le cœur de Dieu et des hommes. Ta lumière continuera son œuvre pour la Paix, ta parole se répandra sans fin, car nul ne peut arrêter le fleuve de vérité vers l'océan. La voix d'une femme poursuivra ta mission terrestre, si tel est le dessin de Dieu pour toi. »

Sur ces mots, Joshua se rappela une citation de Gandhi : « Si la non-violence est la loi de l'humanité, l'avenir appartient aux femmes. Qui peut faire appel au cœur des hommes avec plus d'efficacité que la femme ? » Joshua se demanda ce que sous-entendait ces mots : *« la voix d'une femme poursuivra ta mission terrestre, si tel est le dessin de Dieu pour toi.»*

L'être de Lumière poursuivit :

« Fais de la non-violence ton premier acte de foi. Ce sera aussi le dernier article de ton credo. Maintenant, fouille en ton cœur et, si tu y trouves la moindre trace de colère ou d'amertume, rends-toi vers celui ou celle qui en est la source et pardonne. »

Une autre citation du Mahatma lui revint à l'esprit: «Nul être humain n'est assez parfait pour avoir le droit de tuer celui qu'il considère à tort comme entièrement mauvais».

Puis, dans la lumière irradiant du cœur de Gandhi, ces dernières paroles retentirent dans l'immensité du désert, en même temps que la forme disparut dans une tempête de sable:

«N'oubliez jamais que les démons n'habitent nulle part qu'en chacun de vous.»

Cette phrase, que Joshua avait lue la veille de sa rencontre avec les «DOUZE», s'était imprégnée dans son cœur pour ne jamais en sortir. Une nouvelle propulsion éleva sa conscience dans une autre dimension.

Il se retrouva alors dans les froids corridors d'une prison, marchant derrière un homme escorté par deux gardiens. L'homme fut violemment bousculé dans la cellule, l'épaisse porte de métal se refermant dans un bruit infernal derrière lui. Joshua reconnut son agresseur. Pendant quelques instants, il l'observa. Affolé, le prisonnier faisait les cent pas, tournant comme un lion en cage, dans un état de panique et de détresse totale. Joshua pénétra dans la pièce sans vie, sans lumière, et s'assit sur un lit étroit contre le mur. Dirigeant son troisième œil droit au cœur de l'homme, il vit se dérouler le film de sa vie.

Le scénario se déroula à la vitesse de l'éclair. Rapidement, il comprit l'origine de son agresseur. Celui qui avait tenté de l'assassiner n'était autre que le fils du meurtrier de Laurie, sa mère! Reconnu coupable, le père avait été exécuté sur la chaise électrique, alors que le bambin n'avait que 10 ans. Abandonné depuis sa tendre enfance par sa mère, l'enfant avait grandi seul avec son père dans le sombre milieu de la drogue, du crime organisé et de la violence. À ses yeux, son père était toujours demeuré le héros de sa vie, son seul modèle, sa seule référence. À ses yeux, Joshua Brown n'avait pas le droit de vivre.

Parachuté d'un foyer d'accueil à l'autre, Tommy ne retrouvait pas le calme de l'esprit, ni l'amour qui lui avait tant manqué. Dès l'âge de 16 ans, il avait plongé dans les ténèbres de la drogue et de l'alcool avec une seule obsession en tête: tuer Joshua et s'enlever la vie ! Son plan ne fut réussi qu'à moitié.

Le film terminé, Joshua regardait l'enfant meurtri devant lui, pleurant à chaudes larmes. Au-delà du pardon, sa compassion et son amour pour Tommy dépassaient tout entendement. Le petit roi réalisa à quel point la vie avait été bonne pour lui. Il réalisa toute la force de l'amour que lui avaient apportée les messages de Laurie. Tous les enseignements spirituels, toute l'abondance de talents et la présence des anges terrestres tout au long de sa route. Il voyait dans le cœur de son agresseur, la colère, la peur et le manque. Pourquoi avait-il fallu que son père soit exécuté ? Quelqu'un devait payer et Joshua devenait la cible parfaite puisqu'il représentait à lui seul toute la vie, tout l'amour auxquels lui-même n'avait jamais eu droit.

« Mon frère, murmura Joshua. Je suis là ! est-ce que tu m'entends, peux-tu me voir ? »

Tommy porta vivement ses mains à ses oreilles, croyant devenir fou !

« Non, criait-il... non ! Va-t-en... tu n'existes pas, tu es mort. Sors de mon esprit ! »

Joshua ne savait plus comment l'approcher, comment lui montrer ce que lui voyait, la pureté de son enfant intérieur, l'amour qu'il portait en lui. Il se rappela alors le message de Dieu: *« Ta mission est de porter ma bénédiction au cœur des hommes blessés. »*

Tommy, maintenant allongé sur le brancard, tentait de retrouver sa respiration. Joshua s'agenouilla à ses côtés, portant sa main droite sur son cœur et l'autre sur le cœur du petit garçon terrorisé ; il ferma les yeux et laissa sa Lumière opérer cette résurrection. *Seuls la Lumière et l'Amour de Dieu peuvent sauver son âme*, se dit-il. Le messager resta longtemps dans cette position, aspirant toutes les particules noires et les expulsant puissamment de tous ses différents corps. Lorsque le prisonnier plongea dans un profond sommeil, Joshua sortit et se réfugia dans la chapelle pour prier pour tous ces êtres enfermés dans leur prison intérieure, afin qu'ils trouvent la clé de leur libération: l'Amour !

Depuis sa tendre enfance, Joshua se sentait directement lié à l'énergie christique. À ce moment précis, il se sentit fusionné à cet amour. Des larmes d'émerveillement coulaient sur ses joues lorsqu'il reconnut le visage du Christ s'animer dans la lumière du Saint-Sacrement. Le message émanant de son rayonnement touchait l'âme de Joshua dans toute sa splendeur. Il baignait dans la compassion, l'amour et la bonté de Jésus qui posa doucement sa main sur le cœur blessé de Joshua. Fermant les yeux, le Maître sourit et dit : « Je te bénis mon frère ! Souviens-toi que tu as le pouvoir d'accomplir des miracles, de ressusciter, de guérir par l'Amour qui t'habite. Je suis toi et tu es moi ! Ce que Dieu m'a donné, tu le possèdes aussi ! Va et suis ta Lumière ! »

L'esprit de Joshua se libérait maintenant de tout questionnement. La béatitude dans laquelle il baignait lui apportait une telle lumière dans ce passage qu'il ne cherchait plus rien. Ni à savoir, ni à comprendre. En contact puissant avec la Vie éternelle, dans le pouvoir du moment présent, une seule pensée habitait son esprit: «JE SUIS AMOUR, JE SUIS LUMIÈRE». La puissance de ce mantra s'infiltrait dans chaque cellule de son être.

Lorsque, doucement, le profil de Jésus s'effaça de sa vue, Joshua reprit la plume blanche et le livre de Lumière.

19

Les cheminements humains

De ce côté-ci de la rive, des êtres humains se trouvaient pendant ce temps bousculés entre le doute, la peur, la foi, la colère, la compassion, le désespoir, l'amitié, l'espoir et l'amour. Une ronde infernale d'émotions entraînait Émilie, Mathilde, Philippe, Sylvia et Michelle, qui se relayaient sans relâche auprès de Joshua. Chacun à leur façon, ils offraient au petit roi leur accompagnement et leur énergie de guérison. La chambre baignait dans le calme et la douceur des musiques préférées de Joshua. Tous connaissaient sa philosophie face à la mort. Rien n'avait été fait pour le maintenir en vie artificiellement et rien n'avait été caché aux enfants. Joshua connaissait la force des enfants dans l'accompagnement; il se souvenait du passage de Louis. Émilie s'assurait donc que chacun d'eux puisse visiter leur papa un à un. Laurie et Éloïse réagirent en douceur, plus ou moins conscientes de la signification de la mort, tandis que William fut perturbé par la vision du corps inerte de son père. Les sourcils froncés, les bras croisés, le petit soldat cherchait à comprendre ce qui lui avait échappé. Émilie éclata en sanglots lorsqu'il lui dit de but en blanc:

« Oui mais c'est parce que je dormais quand le méchant est venu... sinon avec mon épée je l'aurais protégé, papa ! hein maman ? c'est vrai ?

– Bien sûr, mon amour ! Tu sais, papa il est encore avec nous et peut-être bien qu'il va guérir.

– Ça se peut ?

– Oui, mon petit ange, tout est possible. Et ça se peut aussi que Dieu ait besoin d'un Grand Ange dans le ciel et que papa décide de rester là-haut. Qu'est-ce que tu en penses ?

– Moi, je pense que c'est pas Dieu qui a besoin d'un Grand Ange... c'est moi, pis Laurie, pis Éloïse, pis toi ! »

Penché près de l'oreille de son héros, William lui murmura secrètement :

« Papa, dis à Dieu que William, il fait dire que « non ! »... que tu dois rentrer à la Maison. O.K. ? »

Philippe assistait, bouleversé, à ce moment d'amour inconditionnel. Il se dit intérieurement que la prière des enfants était souvent mieux entendue que celle des hommes. Il essayait de s'imaginer comment les choses se seraient déroulées pour lui, lors de sa mort clinique, s'il avait eu des enfants ? Lui qui aurait tant souhaité vivre ce bonheur avec Mathilde. Ayant franchi le cap de la cinquantaine, le couple s'était résolu en se consolant par la présence de leurs petits-enfants. Philippe aimait ces trois petits anges comme les siens et, pour eux, il était l'unique et le meilleur des grands-pères.

Ce même soir, lorsque tous eurent quitté la chambre, Philippe veillait son ami, qu'il considérait aussi comme son fils. Son cœur serrait si fort qu'il se décida à parler. Son besoin d'exprimer ses sentiments à Joshua ne pouvait plus attendre. Ils étaient seuls, entre hommes, il en profiterait ! Devant Mathilde, Philippe évitait de remuer trop d'émotions. La mère en elle ne regardait qu'une avenue... la guérison. Malgré le diagnostic très pessimiste, Mathilde gardait espoir. La sagesse de Joshua pouvait faire des miracles, elle en demeurait convaincue.

« Josh, tu m'entends ? Hé ! mon grand... je suis là et je sais que tu es là aussi ! C'est beau, là-bas ? Je sais à quel point cette Lumière est puissante ! Je me rappelle encore, comme si c'était hier. C'est quelque chose d'inexplicable, je te l'avais dit, hein ? J'aimerais tant pouvoir t'aider, te sauver, te guérir ! Mais je sais que cette guérison t'appartient. J'aimerais aussi savoir où tu en es ? Est-ce que je peux faire quelque chose ? Je souhaiterais plus que tout au monde que tu restes avec nous, Joshua... mais ce serait égoïste de ma part, car je connais le bien-être de l'autre monde. Tu es peut-être en train de négocier un sursis ? Tu étais tellement bien parti dans ta mission de conférencier. Au fond, j'essaie de voir si je peux t'aider. Si tu es inquiet pour les petits, je veux que tu saches que je serai toujours là pour eux. Je ne pourrai pas te remplacer, mais je pourrai être ton canal d'amour paternel. Je les aime tellement, je t'aime tellement, Joshua, ne l'oublie pas. Quoi que tu choisisses, nous allons continuer et vivre dans ta Lumière, dans ton amour, dans ton cœur, et tu vivras éternellement dans le nôtre. O.K.? Tu as compris ? Émilie est une grande dame, une merveilleuse maman... on prendra soin d'elle aussi. Je te dis tout ça simplement parce que je sais que le tiraillement doit être si difficile pour toi. Sinon, tu serais parti sur le coup ! Et si, par une grâce de Dieu, tu choisissais de rester avec nous, tu le sais, hein, mon grand... on serait tous fous de joie ! Pense à ta Mission, Josh... c'est tout ce qui compte. L'amour et la mission ! Allez... lâche pas ! Je t'aime. »

Philippe avait réussi, en bon homme solide, à défiler tous ces mots sans verser une seule larme. Le dernier « je t'aime » explosa dans sa gorge comme un volcan. L'évacuation de cet immense chagrin le libérait d'un stress énorme qu'il portait sur son cœur depuis trois jours. À 3h00 du matin, Mathilde le rejoignit.

« Rien de neuf ? pas un petit geste ? Dieu, que j'ai hâte qu'il se réveille, Philippe !

– Mon ange, écoute-moi !

– Non, pas ici. Je sais qu'il nous entend et j'ai une idée de ce que tu veux me dire. Mais je refuse d'entendre la moindre pensée négative, tu entends ? »

Philippe savait que ce comportement rigide de Mathilde venait de son instinct de survie. Il comprenait son incapacité, en ce moment, d'entendre le mot « fin » ou « mort ». Il respecta sa demande et renonça à son propos. Tendrement, il l'enveloppa de ses bras chaleureux :

« Je sais, je comprends. C'est parfait, mon amour. Tu as raison, nous devons croire à ce miracle. Le Dr Belisle est passé en fin de soirée...

– Ah oui ? et puis ?

– Eh bien, il dit que tout est entre ses mains, que Joshua est le seul à pouvoir émerger de ce coma. Mais selon les spécialistes, les séquelles pourraient être majeures, voire même...

– Voire même, quoi ? »

Mathilde l'entraînait en dehors de la chambre en le fixant droit dans les yeux :

« Voire même la paralysie et peut-être aussi des séquelles cognitives. La balle a atteint des centres névralgiques. Ils ne pourront pas connaître l'ampleur des dommages, tant qu'il sera dans le coma.

– Je ne les crois pas, fit-elle, se fâchant.

– Mathilde, je t'en prie, essaie de voir les choses en face. Le déni ne te protège pas de la réalité, mon amour. C'est une illusion ! Je sais que c'est terriblement difficile, mais au nom de tout ce que Joshua a fait sur la terre, au nom de sa foi et de sa Lumière, je te demande de faire face à toute éventualité. Je crois aussi qu'un miracle est possible, mais je me dis en même temps que, s'il ne revient pas, un miracle est peut-être en train de se produire à un autre niveau. »

Mathilde sentit ses jambes l'abandonner. Son cœur se brisa sous le poids des paroles de Philippe, car elle savait qu'il avait entièrement raison. Impuissante devant la mort ou la guérison de son petit roi, elle flancha... finalement ! Ensemble, enlacés, ils pleurèrent tout leur saoul. Mathilde refaisait le voyage de sa vie avec Joshua, à partir du petit garçon ensanglanté qui lui était tombé dans les bras comme un ange qui tombe du ciel. En passant par le voyage avec les dauphins, la mort de Louis Faucher, le jour où il lui avait confié *le petit livre de Joshua*, et jusqu'à la cérémonie de leur mariage. Elle priait Louis de l'aider, de lui donner la force et l'amour nécessaires à ce passage.

Lorsque la tempête s'apaisa, elle retourna auprès de son fils, son ami et son mentor.

« Salut, petit roi ! Je suis là, je ne te laisserai pas un seul instant ! Je ne sais pas ce que tu fais là-bas ni ce que tu décideras. Mon amour pour toi arrivera à dépasser mon chagrin, un jour, j'espère. Je sais que ta Lumière continuera de briller sur la terre, même si ce corps ne peut plus transporter ton âme. Mais tu me manqueras tellement... Dieu m'a fait cadeau de ta présence, de ta joie de vivre, de ta foi et de ton humanité pour me grandir ! Pourquoi, maintenant ? Je ne comprends pas et je prendrai sûrement quelque temps avant d'accepter. J'espère que tu me pardonneras. Car vois-tu mon ange, je suis humaine... si humaine que j'aurais envie de crier "ne pars pas, reste pour nous, reste pour moi, reste pour les enfants", mais je sais que c'est égoïste et que cette demande sonne faux aux oreilles de ton âme. Toi qui nous enseignes depuis 25 ans qu'on ne part pas... que l'amour ne retient pas et qu'il ne meurt pas ! Je sais maintenant que tu choisiras TA voie, et que tu écouteras TA voix ! Je m'en remets à Dieu et je continue de t'accompagner en espérant de toute mon âme que tu guérisses. Je ne peux faire plus, Joshua... j'ai si mal ! »

La couronne du petit roi coiffait sa plus récente photo, son visage rayonnant dans le soleil, le jour du mariage de sa mère et de son père spirituel. Mathilde l'embrassa tendrement, flattant ses cheveux brillants dans le rayon d'une douce lumière naissant d'un nouveau soleil. Elle s'allongea près de lui, appuyant sa tête contre son bras.

« Je suis si fatiguée. » Elle s'endormit en pleurant, en espérant, en priant.

Devant le sanctuaire, qu'elle avait aménagé dans un coin du salon, Émilie accompagnait l'âme de Joshua. Sur une petite table, trônait leur photo de mariage devant un lampion allumé, aux côtés d'une orchidée toute en fleurs. Sept magnifiques coupoles ouvertes ornaient le cadrage de la photo et brillaient dans la lueur de la flamme. Ce matin-là, parmi les nombreux courriels de soutien, un message portant la mention « Prière à sainte Thérèse » attira son attention. La religion d'Émilie et de Joshua était simple – celle de l'amour et du respect de toutes créatures et de toutes les religions. Elle ouvrit la prière de sainte Thérèse pour comprendre aussitôt que Joshua lui parlait à travers ces lignes : «*Je veux passer mon ciel à faire du bien sur la terre.»* Elle reconnaissait bien la voix de son bien-aimé et du père merveilleux qui gisait sur ce lit d'hôpital, à la fois bien vivant dans un autre monde. Portant la photo de leur union sur son cœur, Émilie le supplia de lui donner signe de vie, de l'aider à comprendre le sens de cette tragédie et plus encore, s'il le pouvait, lui faire part de son intention.

S'apprêtant à retourner au chevet de son mari, Émilie ouvrit le vestiaire pour y prendre son manteau, lorsque ses yeux tombèrent sur le porte-documents de Joshua. Le cœur lourd, elle ouvrit la mallette et y retira une feuille au hasard.

Le message sans équivoque venait répondre à la question qu'elle venait à peine de lui poser:

La Lumière t'inonde d'amour

Artisan de la Paix, va répandre les enseignements ! Sache que tu es divinement guidé. Le Grand Plan s'accomplit parfaitement à travers ta mission ! Quoi qu'il arrive, regarde vers le haut et suis la Lumière ! Tu es béni !

Les Maîtres d'Ascension.

Émilie ne savait pas comment interpréter ce message daté du jour même de la tragédie, à 14h14. Elle ne comprenait qu'une chose, tout était orchestré, tout appartenait au Plan divin. Relisant sans cesse ce message qu'elle savait destiné à Joshua ce jour-là, elle finit par l'entendre pour elle-même. Elle comprit qu'elle ne devait plus regarder le corps inerte de Joshua, mais bien toute la vie qui s'animait partout en elle et autour d'elle. Cette prise de conscience changeait maintenant toute la perspective. Oui, elle se rendrait au chevet de son âme sœur d'évolution, non pas pour l'accompagner dans la mort, mais bien pour le rejoindre dans la vie. *La Lumière de Joshua* ne cesserait jamais de briller, ne mourrait jamais... cette compréhension soudaine venait droit de la Source et se logea directement dans son cœur.

Les prières de milliers de personnes circulaient dans l'énergie pour se rendre au cœur de Joshua. Des cercles de méditation se formaient un peu partout dans les villes et les villages. Certains l'imploraient de s'accrocher à la terre lui faisant part de leurs besoins, d'autres l'accompagnaient inconditionnellement dans ce passage de transformation. Toutes ces vibrations d'amour se rendaient à son âme, élevant à la fois la conscience collective. La violence dont Joshua fut victime créa un courant de réflexions imposant à chaque personne concernée une introspection, un bilan de vie. Le temps s'écoulait, le corps de Joshua prenait une pause, pendant que les humains vivaient un sentiment d'impuissance devant la vie, devant la mort.

20

La troisième rencontre

Joshua, fasciné, se déplaçait d'un endroit à l'autre par le simple pouvoir de la pensée, se remémorant *La vie des Maîtres*, cette lecture sacrée qui avait transformé son esprit alors qu'il avait 23 ans. Sur le chemin de sa croissance spirituelle, les livres s'étaient retrouvés en parfaite synchronicité entre ses mains au moment où sa conscience pouvait assimiler certaines connaissances et vivre une nouvelle initiation. Il réalisa soudainement que ce passage n'était qu'une autre degré dans l'échelle de son évolution.

De la prison, Joshua se transporta sur une magnifique plage de sable blanc. L'énergie de l'océan, de l'infinie beauté du mariage des couleurs du ciel et de la mer lui procurait un profond sentiment de paix. Les vagues puissantes ramenaient la marée montante tandis que le cri des oiseaux pêcheurs lui rappelaient la richesse et la grandeur de la création. La plage semblait dessiner un chemin, une voie juste pour lui. Il l'emprunta en pensant à la troisième rencontre prévue. Aussitôt la présence se manifesta à ses côtés sous la forme d'une gigantesque colombe de lumière.

« Merci de marcher à mes côtés et de m'éclairer sur le chemin de ma destinée ! Qui êtes-vous ? »

La voix enveloppante lui répondit sur un ton calme :

« Je Suis ta Lumière. Nous n'avons plus besoin d'intermédiaire, maintenant que tu es arrivé à la Source. »

Joshua s'arrêta net, tournant sur lui-même comme pour se lover dans les ailes de la majestueuse colombe de lumière. S'asseyant en position de lotus face à la mer, il se fondit à cette énergie divine pour mieux entendre la « voix ».

Sois béni ! Tu es libre...

Quoi que tu choisisses
Puisses-tu goûter la béatitude de la Vie éternelle
Puisses-tu compter tes bénédictions et les répandre

Où que tu sois
Puisses-tu jouir de l'abondance en toutes choses
Et savourer le nectar de la vie à travers le rire des enfants

Puissent tes victoires être multiples
Et tes défaites fructueuses
Tant que tu seras dans mes bras tu ne manqueras de rien

Que la beauté, l'ordre et l'abondance
Soient tes compagnons de route
Et que le bonheur des autres remplisse ton cœur de joie

Que la foi efface tes doutes et estompe tes peurs
Que ma chaleur t'enveloppe dans l'ambivalence et l'angoisse
Dans l'adversité puisses-tu reconnaître ton humilité

Quel que soit le chemin que tu choisisses
Puisse-t-il te conduire vers la bonté, la générosité et la paix
Et ainsi préserver ton cœur d'enfant

Lorsque sur ta route, l'obscurité se fera
Et que la tempête se lèvera, souviens-toi de moi
Ta Lumière ! Je serai toujours là pour toi

Puisses-tu te souvenir que tu es parfaitement aimé
Et que ta mission est de répandre cet amour
Cherche à donner, plutôt que d'entretenir ton avidité

La vie que j'ai semée en toi est sacrée
Puisses-tu l'honorer et la multiplier
Tu es la fleur... Je suis le soleil

Que la connaissance des mondes célestes
Ne t'empêche de reconnaître les beautés terrestres
L'ascension traverse tous les corps de bas en haut

Souviens-toi que ton dernier pas dans cette vie
Sera le premier dans la prochaine et ainsi de suite pour l'éternité
Assure-toi donc de bien terminer ce que tu as commencé

Ne te compare pas
Puisque je ne le fais pas moi-même
Sois patient et indulgent comme Je le suis avec toi

Si tu dois apprendre quoi que ce soit à ton prochain
Assure-toi de lui montrer toute l'importance qu'il a à tes yeux
Ainsi, tu le conduiras vers sa Lumière

Si tu choisis de soigner ceux qui souffrent fais-le au nom des enfants
Plus les adultes seront en santé mentale, physique et spirituelle
Plus les petits grandiront dans l'Amour et la Paix

Laisse la vie couler
Car tu ne peux empêcher la marée de monter
Ni de descendre

Que la joie et l'humour te servent à guérir
Puisses-tu donner aux autres
Le goût d'être heureux par ton rayonnement

La vie t'appelle
Le monde t'attend
Que ta mission s'accomplisse sur la terre comme au ciel !

Tu es libre !
Sois béni !
Donne ta bénédiction !

Joshua baigna paisiblement dans l'écho de ces paroles de lumière durant des heures. Le moment était venu pour lui de revoir son contrat avec Dieu.

21

La Lumière des enfants

Le relais du matin s'effectua une fois de plus par de précieux échanges entre Mathilde, Philippe et Émilie. Chacun de leur côté, ils vivaient différentes étapes face à la mort imminente de Joshua. Ce jour-là, Émilie fut heureusement surprise de constater que Mathilde avait aussi lâché prise et ouvert son cœur au choix de son fils. Philippe, pour sa part, admirait ces deux femmes pour leur grandeur d'âme et leur capacité d'amour inconditionnel.

« Mathilde, j'ai reçu un message très clair de Joshua à travers une prière qu'on m'a envoyée aujourd'hui.

– Ah oui ? et que nous dit-il ?

– *« Je veux passer mon ciel à faire du bien sur la terre. »*

– Ça veut dire que, du ciel, il veillera sur nous et qu'il continuera sa mission ?

– Oui, peut-être... ou ça peut vouloir dire *« je viendrai vivre mon ciel sur la terre »* !

– Ah ! mon Dieu, on n'est pas beaucoup plus avancés ! »

Les deux femmes s'étreignirent en riant, comme Joshua aimait les voir rire !

« L'important, je crois, c'est que nous soyons tous en accord avec *son* choix. J'ai confiance en la capacité de Joshua à se manifester sous la forme qui lui permettra le mieux de servir la Lumière. Je vous jure que je fais appel à la Loi Divine pour me donner la force de ne pas penser à moi et aux enfants pour le moment. Je le ferai bien en temps et lieux. Mais, aujourd'hui, dans l'instant présent, c'est lui qui a besoin de notre amour et de notre lumière. Il sait que nous l'aimons et que nous souhaitons tous qu'il revienne. Ce qu'il doit capter et sentir de sa Lumière, c'est qu'il est libre – que notre amour ne l'emprisonne pas et que nous allons prendre soin de nous et propager son message.

– Émilie, tu me fascines ! J'ai fait un grand bout dans ce même sens aujourd'hui, mais j'avoue que tu me surpasses. Au moins, je suis portée à écouter ton message, ce que je n'aurais pas pu faire hier soir. Je crois que Joshua nous guide aussi dans le sens d'une pensée d'amour inconditionnel. Il est encore en train de nous enseigner du haut de sa Lumière !

– C'est vrai, reprit Philippe. Que de leçons de vie j'ai reçues depuis quatre jours ! Que de réflexions sur ma propre vie et ma mission ! J'en suis venu à me dire qu'au fond, nous faisons tout ce que nous pouvons pour offrir un monde meilleur aux enfants et à toutes les générations qui suivront. Joshua fait la même chose pour nous ! C'est quand même beau la mort ! C'est rempli de Vie !

– Oh là, un instant mon amour ! Il est toujours là, à ce que je sache. Je veux bien respecter son choix, mais je préserverai aussi l'espoir en moi jusqu'à la dernière minute. »

Ils s'embrassèrent ; Mathilde et Philippe partirent se reposer et Émilie s'installa auprès de son amoureux dans le calme du matin. Elle ouvrit grands les volets pour laisser entrer la lumière sur son corps, glissa le CD dans le lecteur, alluma un nouveau lampion et déposa un baiser sur son front.

« Bon matin, mon chéri ! Comment se passe ton voyage là-bas ? Nous t'attendons, Josh... et si tu choisis de rester l'espace d'une autre vie, nous comprendrons. Ce sera difficile, on le sait tous. Mais voilà ! Je fais pour toi ce que tu ferais pour moi si j'étais là, à ta place. Notre amour est fondé sur la liberté et l'autonomie ! Bien sûr, il est plus difficile pour moi de parler au nom des enfants. À ce stade-ci, je ne serais pas sincère si je te disais que tout va bien aller, qu'ils n'auront pas de séquelles, je ne le sais pas. Pour eux, je voudrais tant que tu sois là !

Émilie pleurait doucement. Elle s'adossa dans le fauteuil au pied du lit. Sur la desserte, elle aperçut un livre. Sans même remarquer le titre, elle l'ouvrit au hasard :

Les enfants possèdent une énergie curative, une essence si pure qu'elle peut guérir, voire même réanimer la vie. Les animaux ont parfois le même charisme, la même force. Il suffit de déposer leur corps sur le corps du malade et laisser l'énergie de Lumière faire son travail. Vous n'avez rien à demander, surtout pas à l'enfant ou à l'animal. Créez le contact tout simplement et laissez l'énergie vitale opérer le transfert. Les enfants sont les canaux les plus clairs, surtout avant l'âge de raison. Plus ils sont jeunes, plus l'énergie est pure. Ils sont les anges de Dieu et leur pouvoir d'amour est d'une puissance infinie.

Émilie, sidérée, relut trois fois le paragraphe. Comme pour la prière de sainte Thérèse, elle avait la conviction que Joshua choisissait ce moyen pour se faire entendre. Elle croyait profondément à ce concept du transfert d'énergie par la pureté de l'âme. Elle eut envie de se précipiter à la pouponnière pour demander si elle pouvait emprunter un bébé pour quelques instants quand, tout à coup, le visage d'Éloïse émergea clairement à son esprit. La petite n'avait que sept mois. Son énergie était encore très connectée à la Source. Comme elle s'apprêtait à sortir pour aller chercher le bébé, Mathilde revenait à la chambre.

« J'ai oublié mon livre ! Je...

– Mathilde, est-ce que tu as lu ce passage ? »

Émilie n'eut pas besoin de lui montrer, Mathilde savait de quoi elle parlait. En fait, elle était revenue pour lui en parler.

Elle fit signe que oui, les yeux remplis d'espoir. Émilie acquiesça dans le même sens. Elles étaient prêtes à ouvrir cette porte de Lumière pour Joshua.

« Il est très important que nous le fassions inconditionnellement, Mathilde, tu comprends ? Il ne faut surtout pas qu'Éloïse reçoive un message de responsabilité dans son inconscient.

– Je suis tout à fait d'accord avec toi. Aussi, je me dis que, si nous sommes tombées toutes les deux sur ce même paragraphe aujourd'hui, c'est que Joshua tente de nous dire quelque chose. Je vais même jusqu'à me dire que, si son choix est de monter dans la Lumière, l'énergie d'Éloïse qui arrive à peine de là-haut ne pourra que l'aider à prendre son envol. »

Les deux femmes s'entendaient parfaitement sur cette démarche de guérison spirituelle. Mathilde courut chercher Philippe.

Il trouva l'idée lumineuse, et se chargea d'amener la petite. Une heure plus tard, Émilie baignait Éloïse, pour ensuite l'enduire d'huile essentielle de lavande, et la déposa nue sur le ventre de Joshua. Sa petite tête collée contre sa poitrine, elle s'endormit paisiblement. Émilie les enveloppa d'une douce couverture blanche, ne laissant qu'un filtre de lumière entrer par la fenêtre.

Mathilde, Philippe et Émilie formèrent un cercle de méditation dans l'autre coin de la chambre, laissant aux âmes tout l'espace nécessaire à la guérison. Deux heures passèrent sans que Joshua ne donne signe de vie. Mathilde et Philippe rentrèrent chez eux, tandis qu'Émilie nourrissait son bébé paisiblement. À l'instar de la maman, l'enfant vivait ce moment dans le plus grand calme.

Le soir venu, Sylvia prit la relève. Émilie lui fit part du contact énergétique entre Joshua et sa petite fille. Sylvia, émue, trouva le rituel divinement inspiré.

« Cette inspiration t'est venue directement de Joshua, Émilie... n'en doute pas un instant. »

Pour s'assurer que la petite n'enregistre rien qui puisse créer un blocage dans son chemin de vie, Sylvia la traita doucement, pour confirmer à Émilie que tout était parfait dans le Grand Plan. Pour les prochains jours, Émilie dormirait dans le petit lit à côté de son mari. Les deux femmes s'étaient consultées et entendues pour procéder aux transferts d'énergie toutes les quatre heures, soit après chaque *boire*, pendant une demi-heure. L'expérience leur apportait une dose d'amour et de lumière indescriptible. Une chose était certaine, cet amour ne pouvait qu'aider Joshua, quelle que soit sa trajectoire.

Le lendemain, Mathilde et Philippe apparurent sur le seuil de la porte avec William et Laurie. L'idée était venue de Philippe.

Les deux autres enfants devaient participer à ce rituel de canalisation. Candidement, sans créer aucune attente auprès des enfants, il leur expliqua que, dans leurs petites mains, il y avait une grande lumière qui venait droit de leur cœur, et qu'ils pouvaient l'envoyer dans le corps de papa, jusqu'à son cœur. La ferveur et la lumière qui émanaient de ces petits visages d'anges touchaient profondément le cœur des quatre adultes. À eux sept, ils pouvaient nourrir chaque chakra dans l'intention que le meilleur s'accomplisse pour Joshua. Philippe, à la tête, pour la conscience, Mathilde, au 3e œil, pour la vision, Émilie, au cœur, pour l'amour, William, au plexus solaire, en bon gardien de la Paix, Laurie, au nombril, pour la créativité et Éloïse, au chakra de base, pour nourrir le corps physique. Ce rituel dura 12 minutes, après quoi tous, sauf Philippe, rentrèrent à la maison.

22

La Lumière de Joshua

« Maman, maman, c'est moi qui veux mettre les bougies !

– Pas maintenant, ma chérie ! Au retour de l'hôpital nous ferons la fête pour William et tu m'aideras à placer les chandelles, O.K. ? »

Mathilde habillait William de ses plus beaux atours. C'était son anniversaire et le petit soldat tenait à rendre visite à son papa pour lui annoncer qu'il avait maintenant 7 ans. Pendant les trois jours précédents, ils avaient pratiqué les transferts d'énergie. Aujourd'hui, c'était jour de relâche. On irait voir papa, et ensuite on viendrait tous pour célébrer la fête de William. Émilie avait peine à comprendre la joie et la sérénité qui l'habitaient. Cette force lui venait d'ailleurs, comme si les Anges la soutenaient au-dessus de tout ce qui se passait dans sa vie.

William avait demandé à sa mère s'il pouvait être seul avec son père pour lui parler de son anniversaire. Le petit soldat, assis bien droit près de son héros, lui racontait le programme de la journée.

« Tu sais, papa, même si tu ne bouges pas, je sais que tu m'entends. Et je comprends que tu n'as pas pu me faire un cadeau pour ma fête, mais c'est pas grave parce que tu sais, maman, elle... papa ? ton doigt a bougé... »

Et puis un deuxième doigt se raccorda au premier, jusqu'à ce que toute sa main prenne la menotte toute chaude de son fils !

« MAMAN! MAMAN!... viens vite ! »

Émilie se précipita dans la chambre. William tenait entre ses mains la main vivante de son père ! Couvrant sa bouche pour retenir son cri de joie, elle s'approcha doucement, déposa sa main sur la sienne, tandis qu'il ouvrait péniblement les yeux.

Dans les bras de sa Lumière, l'âme de Joshua s'était librement engagée dans le couloir de la vie terrestre. La voix de Dieu éclaira son esprit et son choix devint clair. Sa mission se poursuivrait sur la terre avec toutes les initiations que comporte le plan physique. La première serait de réintégrer son corps physique. La douleur fut atroce. Tous ses corps subtils devaient maintenant se glisser dans l'enveloppe blessée, sans qu'elle ne déchire. Cette sensation de brûlure au niveau de la gorge et de la cage thoracique lui rappela sa condition humaine, lui faisant presque regretter son choix. Philippe prit vite la situation en mains. Malgré le bonheur et l'euphorie de tous à voir Joshua revenir, il les invita à quitter la pièce, afin que Joshua reçoive les soins pour apaiser la douleur. Seule, Émilie resta auprès de lui pour l'accompagner dans ce retour à la vie.

Au-delà de la souffrance, son âme illuminait ses yeux d'un regard brillant. Il fixait le visage débordant de bonheur de sa bien-aimée. Pas un mot ne pouvait traduire ce qu'ils ressentaient. Leurs âmes s'étaient redonné rendez-vous, et cet amour allait continuer de grandir et d'accompagner leurs trois petits anges dans cette vie.

L'*accouchement* terminé, Philippe les invita à revenir à la chambre. Laurie sautait de joie et criait « je savais, je savais que tu reviendrais, papa ». Mathilde, dans les bras de Philippe, pleurait de joie et d'épuisement. Philippe irradiait de bonheur ; l'amour avait vaincu la violence ! Michelle souriait à chaudes larmes, remerciant Louis qu'elle avait tant prié. Sylvia, les mains jointes rendait grâce à la Source et aux Anges pour cette Lumière que Joshua ramenait avec lui. La petite Éloïse pleurait, impressionnée de tant d'émotions autour d'elle. Joshua, souriant, tendit les bras pour la reconnecter à son cœur et remercier son âme de sa Lumière. Les larmes plein les yeux, elle retrouva son calme, lui rendant ce sourire de complicité. William, debout sur le tabouret, déposait fièrement sur la tête de son héros la couronne du Roi : « Tu as gagné, papa ! »

Le petit roi ferma les yeux, laissant rouler de grosses larmes sur ses joues. Le messager acceptait de remonter sur la scène. Le rideau se leva sur un nouveau cycle de vie. La Lumière de Joshua se fraya un chemin jusqu'à ses lèvres : « Alléluia ! Soyez bénis ! »

Table des matières

QUATRIÈME CYCLE